アフガニスタンの素顔

「文明の十字路」の肖像

青木健太

光文社新書

すべてのアフガニスタン人へ

まえがき

「文明の十字路」、あるいは「帝国の墓場」

国連が運航する双発型小型プロペラ飛行機に揺られながら、私がアフガニスタンの首都カーブルに初めて着陸したのは二〇〇五年一一月の晩秋のことだった。機内の窓からは、褶《しゅう》曲《きょく》山脈の谷間に点在する土でできた家々、白い冠を頂いたヒンドゥー・クシュ山脈の尾根、そして「荒涼とした土《ど》漠《ばく》」と表現する他ない、赤茶けた大地が広がっていた。時々の超大国が一度たりとて攻略することができなかった同国の歴史に興味を持った私は、ラピス・ラズリ（青金石）の瑠《る》璃《り》色に吸い込まれるように、アフガニスタンに惹き込まれていった。

中東と南西アジアと中央アジアの結節点に位置するアフガニスタンは、英国の歴史家アーノルド・トインビーが評したように「文明の十字路」である。

紀元前六世紀には、アケメネス朝ペルシャでゾロアスター教（拝火教としても知られる）が信仰され、紀元前四世紀にはアレクサンダー大王の東方遠征がギリシャ文化と仏教文化とを融合したヘレニズム文化をこの地にもたらした。三世紀頃からは中央高地バーミヤーンの大仏に代表されるような仏教文明が隆盛を誇り、その後はアラブ世界からの影響を受けてイスラーム化が進んだ。

そこに暮らす人々は、外部からの来訪者に極度の警戒心を持つ一方で、客人に対してはこの上ない歓待をする独自の部族文化を育んできた。街中を移動しながら、青い瞳を持つギリシャ人のような顔つきでペラハーン・トンボーン（アフガニスタンの男性が着る民族衣装）を身に纏《まと》うアフガニスタン人の姿を見るにつけ、ここはあらゆる文明が行き交った場所だったのだと痛感したものである。

そのような歴史を有するアフガニスタンだが、こうした様々な文明の往来は同国を豊かにしたというよりは、むしろ幾多の災厄をもたらした。このことは、アフガニスタンの近現代史を振り返れば一目瞭然である。

一九世紀、南下を目指すロシア帝国と、これを抑え込みたい英領インドとの間でグレート・ゲームと呼ばれる角逐《かくちく》が勃発し、アフガニスタンは緩衝地帯を形成した。二〇世紀後半に下ると、当時のアメリカとソビエト連邦との間での冷戦構造の下、両大国間での代理戦争の舞台としての役目を担わされた。そして二一世紀に入り、二〇〇一年九月一一日に発生したアメリカ同時多発テロ事件を受け、「テロとの戦い」の最前線となった。

これらのいずれの戦いでも、勇猛さと自主独立の気風を重んずるアフガニスタンの諸部族は「異教徒との聖戦」に立ち上がり、人員や装備の面では劣勢にあったものの幾度も撃退した。大英帝国、ソ連、そしてアメリカが、この地で敗北を喫した。「帝国の墓場」と呼ばれる所以《ゆえん》である。

多くの異なる文明がアフガニスタンを行き交い、あるものは通り過ぎ、あるものはアフガニスタンに根づいた。しかし、アフガニスタンの現状は、多文化・民族が多様性を尊重し合い平和的に共存する理想郷とはほど遠い。実際は、大国の介入と干渉によって、国土は荒れ果て、長引く紛争により民族間での不信感が根を張り、それに伴い、多くの旧政府高官・知識人・難民が国外に逃れるという、豊かさとはあまりにもかけ離れた惨状だけがある。

ターリバーンの捲土重来と社会の激変

二〇二一年四月一四日のバイデン米大統領による軍撤退発表を受けて、ターリバーン（神学生の意。語義は、道を求めるもの）は特に農村部での軍事攻勢を激化させた。前年の二〇二〇年二月二九日にアメリカとターリバーンとの間で締結されたドーハ合意をもとに、ターリバーンはアメリカに軍の完全撤退を要求しつつ、アフガニスタン・イスラーム共和国に対する軍事攻勢の手綱を緩めない硬軟両戦術を続けた。遂に八月一五日、ターリバーンは首都カーブルを陥落させ、ほぼ全土を制圧した。これによってイスラーム共和国政府は事実上崩壊し、ターリバーン第二期「政権」が実効支配を開始した。

　これによって、私の限られた知識だけから見ても、アフガニスタン社会は激変している。復権したターリバーンは九月七日に暫定内閣を発表したが、その顔ぶれはほぼすべてターリバーン構成員であり最大民族パシュトゥーン人がほとんどの閣僚を独占した。他民族への権力分与はなされていないに等しく、イスラーム共和国の政治有力者は冷や飯を食わされている。

　欧米や日本のメディアは、ターリバーンによる女子学校の閉鎖、マハラム（女性にとって近親の男性家族構成員）の同伴なしでの外出制限、理髪店に男性の髭《ひげ》を剃らないよう出した通達などについて様々に報じている。シャリーア（イスラーム法。語義は、水場へと至る道）に則った社会づくりを標榜するターリバーンが実権を掌握したことで、それまでは認められた芸術家や人権活動家の活動はハラーム（不法、禁忌）だとして禁じられた。これに伴い、ターリバーンからの深刻な脅威に晒される人々が、イスラーム共和国政府の高官・公務員や諸外国に協力した人々とともに国外に大量に流出した。それは、現在も続いている。

何故、ザーヒル・シャー国王（在位一九三三～一九七三年）が君臨する立憲君主制下で、決して豊かでないながらも平和を享受していたアフガニスタンは、今日まで続く紛争に直面したのだろうか。ターリバーン復権後のアフガニスタンは今、一体どのような状況であろうか。そして、将来のアフガニスタンはどうなるだろうか。

本書の目的と構成

本書は、アフガニスタンの歴史・政治・社会的側面に焦点を当てながら、同国で起こっていることについての理解を深め、「文明の十字路」の実像を掴むことを目的とする。これをもって、ターリバーンの台頭で激変するアフガニスタン社会の素顔について知り、今なお混迷が続くアフガニスタンで恒久的な和平を実現するための一助にしたいと思う。

なお、本書のいう現代が指す年代は、主には立憲君主制期を経て共和制に移行した一九七三年以降であるが、アフガニスタンの伝統的な部族文化や地政学的条件を説明する中でそれに遡って言及することがある。また、本書のいうターリバーンとは、特別の断りがない限り、アフガニスタンのターリバーンを指す。

第一章では、アフガニスタン現代政治史の展開を振り返りつつ、和平実現に向けた取り組みを概観したい。二〇〇一年一二月の戦後復興のロードマップを定めたボン合意からターリバーンが排除されたことが、その後の国家の安定の阻害要因となった。他方で、ターリバーンが二〇年ぶりに権力を掌握した現在、ターリバーンが他勢力を排除すれば内戦の再発も想定される事態となる。アフガニスタンにおいて如何《いか》なる形の和平が可能なのかを検討したい。

第二章では、ターリバーン暫定政権の統治の様態について、これまで示された政策方針や実際にアフガニスタン社会で起こっていることの考察を通じて明らかにしたい。イスラームに則《のっと》った社会づくりを標榜するターリバーン統治下で、イスラーム刑法に基づく司法手続きの履行に力点が置かれ、とりわけ社会的に弱い立場にある女性が標的にされている。

第三章では、アフガニスタンの民族的側面に着目しつつ、パシュトゥーン人主体のターリバーンに敵対する、タジク人やハザーラ人を中心とした反ターリバーン勢力による抵抗活動を描く。アフガニスタンで起こっていることを民族問題の面のみから理解することはできないが、かといって民族問題の解決が和平実現に向けて欠かせないことも事実である。

第四章では、女性の権利抑圧に代表されるように、激変するアフガニスタン社会の様相について、共同通信カーブル支局通信員の安井浩美さんとの対談を通じて明らかにする。特に、ターリバーン統治の中で、少数民族はどう扱われているのか、女性の教育・就労の制限緩和があり得るのか、メディアの活動制限はどのようなものとなっているのかに焦点を当てたい。

第五章は、ターリバーン統治下で、アフガニスタン国外への退避を余儀なくされる人々の現状について、各種資料、および、私自身が隣国イランで見聞したことをもとに紹介したい。ソ連侵攻以来、アフガニスタン難民は国際社会にとって重要な課題であり続けている。

第六章は、アフガニスタン政変が周辺国に与える影響と日本の役割について検討する。アメリカ軍が完全撤退したことで、中国、ロシア、および、近隣諸国が「力の真空」を埋めるよう影響力を拡大させている。そうした中で、政治的に中立と信じられている日本は、アフガニスタン人からの厚い信頼を基盤に、和平に向けて果たすことができる役割を持っており、そうした日本が果たすべき役割を検討したい。

章の間に挟んだコラムでは、本文内で書き切れなかったアフガニスタンの地理的条件、言語事情、人間関係と社会構造、食文化、女性たちの姿などについてビジュアル資料も用いながら描き出し、多様なアフガニスタンの素顔を伝えるよう努めた。

ロシアによるウクライナ侵攻（二〇二二年二月二四日）を経て、世界の分断が急速に進み、新たな秩序が立ち現れ始めている。アフガニスタンと如何に向き合うかは、このように国際秩序が驚くべきスピードで揺れ動く中、対話や妥協を通じて、如何に考えの異なる集団が共存できるのかを占う試金石であるように私には思われる。

本書が、アフガニスタンと現在の国際情勢についての理解を深めたいと考える読者諸賢《しょけん》にとって、多少なりとも理解の助けとなり、ひいてはアフガニスタン和平を達するための道標となれば、私にとってこの上ない喜びである。

目　次

まえがき　3
「文明の十字路」、あるいは「帝国の墓場」／ターリバーンの捲土重来と社会の激変／本書の目的と構成

略語一覧　16／アフガニスタン地図　17

第一章　アフガニスタン和平実現に向けた取り組み――19

およそ五〇年間に及ぶ戦争と混乱　20／ターリバーンの捲土重来／クーデタ、権力闘争、大国の介入と干渉／**アフガニスタンの政治勢力と権力関係**　34／主要な政治勢力の概観／権力基盤を失った王族／共産主義勢力／ムジャーヒディーン勢力／海外移住組のテクノクラート／「世直し」を掲げたターリバーン／**未完の和**

平プロセス　42／ボン合意時点でのターリバーン排除という「瑕疵」／二回目の和平への機運／カタール政治事務所の設立とパキスタンでの和平協議／交渉の本格化とドーハ合意／アフガニスタン人同士の対話／包摂的な政権成立に向けて

コラム①　アフガニスタンの地理的条件　67

第二章　ターリバーン暫定政権による統治――73

ターリバーンによる統治の基本的な方針　74／シャリーアを中心とする政治理念／「二重構造」の様相を呈する政治体制／**イスラーム統治の実現に向かう諸政策**　88／全般的な方針／女性の権利をめぐる諸政策／イスラーム共和国政権の否定とパシュトゥーン民族主義に基づく諸政策／メディア活動に対する制限／司法政策と風紀取り締まり／農畜産品輸出と投資誘致を念頭とした経済政策／その他の社会政策／**ターリバーンの内部対立**　100／最優先課題である内部凝集性の維持／いくつかの内部対立の事例／将来に向けた不安要素

コラム②　アフガニスタンの言語事情　105

第三章　「自由と独立」を求める反ターリバーン運動——111
多民族国家アフガニスタンの相貌　112／アフガニスタンの民族構成／常に存在してきた民族問題／**反ターリバーン運動の展開**　118／ターリバーン復権以降の治安情勢と反ターリバーン運動の見取り図／軍事的な武装抵抗活動／政治的解決に向けた取り組み／異なる「自由と独立」の衝突
コラム③　アフガニスタンの人間関係と社会構造　130
第四章　激変する社会　対談：安井浩美 × 青木健太——137
安井さんと青木さんの関係／女子校閉鎖の現状／ヒジャーブ着用義務化について／インターネットでの学習は可能？／ターリバーンと諸外国の関係／メディアの状況／国外退避の状況の変化／少数民族の迫害／話し合いでは解決しない？／厳しい経済状況／汚職について／医療の状況／ターリバーンの統治の形／日本人にとっても重要な問題／国際社会の関与が絶対に必要

コラム④　あまり知られていないアフガニスタンの食文化　169

第五章　国外退避する人々　175

イランに移住したアフガニスタン人たち　176／四年ぶりのテヘラン訪問／中央部ワルダック出身の女性ザフラーさん（仮名）の話／カーブル出身の男性アリーさん（仮名）の話／ターリバーン暫定政権に対するアフガニスタン移民・難民の受け止め／**アフガニスタン難民をめぐる国際的な状況**　191／難民受け入れという負担を強いられる近隣諸国／難民の前に立ちはだかる様々な障壁

コラム⑤　アフガニスタンの女性たち　200

第六章　陸封国の対外関係と日本が果たすべき役割　207

アフガニスタンの基本的な外交方針　208／時代を経ても変わらぬ独立の達成と維持の重要性／ターリバーン暫定政権の対外政策方針／**ターリバーン暫定政権の対外関係**　214／立ち現れる「事実上の承認」／アメリカの撤退後、じわじわと存在感を強める中国／国際会合を主催し地域秩序形成で存在感を見せるロシア／隣国パキスタンとイランによる密接な関与／中東、中央アジア諸国による現実的アプローチ／その他の国々との関係／**日本とアフガニスタン** 231／二国間関係の概観とアフガニスタン人の親日感情／中村哲医師、緒方貞子氏の残したもの／アフガニスタンで果たすべき日本の役割

終　章　自己の模索への旅 245

アフガニスタンとは何か 246／民族自決とオーナーシップ原則／各々の社会ごとに異なる固有の尺度／揺れ動く国際情勢とアフガニスタン／将来への希望

あとがき 259

付録1　ターリバーン暫定政権の閣僚リスト 265

付録2　ターリバーン暫定政権以外の主要な人物 267

参考文献 274

◆略語一覧

APRP	アフガニスタン平和・再統合プログラム (Afghanistan Peace and Reintegration Programme)
AQ	アル=カーイダ (Al-Qaeda)
CIA	中央情報局 (Central Intelligence Agency)
HQN	ハッカーニー・ネットワーク (Haqqani Network)
ISI	軍統合情報局 (Inter-Services Intelligence)
ISKP	イスラーム国ホラーサーン州 (Islamic State Khorasan Province)
JICA	国際協力機構 (Japan International Cooperation Agency)
NGO	非政府組織 (Non-Governmental Organization)
NRF	国民抵抗戦線 (National Resistance Front)
OIC	イスラーム協力機構 (Organization of Islamic Cooperation)
PDPA	アフガニスタン人民民主党 (People' s Democratic Party of Afghanistan)
PEACE	未来への架け橋・中核人材育成プロジェクト (Project for the Promotion and Enhancement of the Afghan Capacity for Effective Development)
TAPI	TAPIガスパイプライン (Turkmenistan-Afghanistan-Pakistan-India Pipeline)
TTP	パキスタン・ターリバーン運動 (Tahrik-e Taliban Pakistan)
UAE	アラブ首長国連邦 (United Arab Emirates)
UNAMA	国連アフガニスタン支援ミッション (United Nations Assistance Mission in Afghanistan)
UNDP	国連開発計画 (United Nations Development Programme)
UNHCR	国連難民高等弁務官 (United Nations High Commissioner for Refugees)

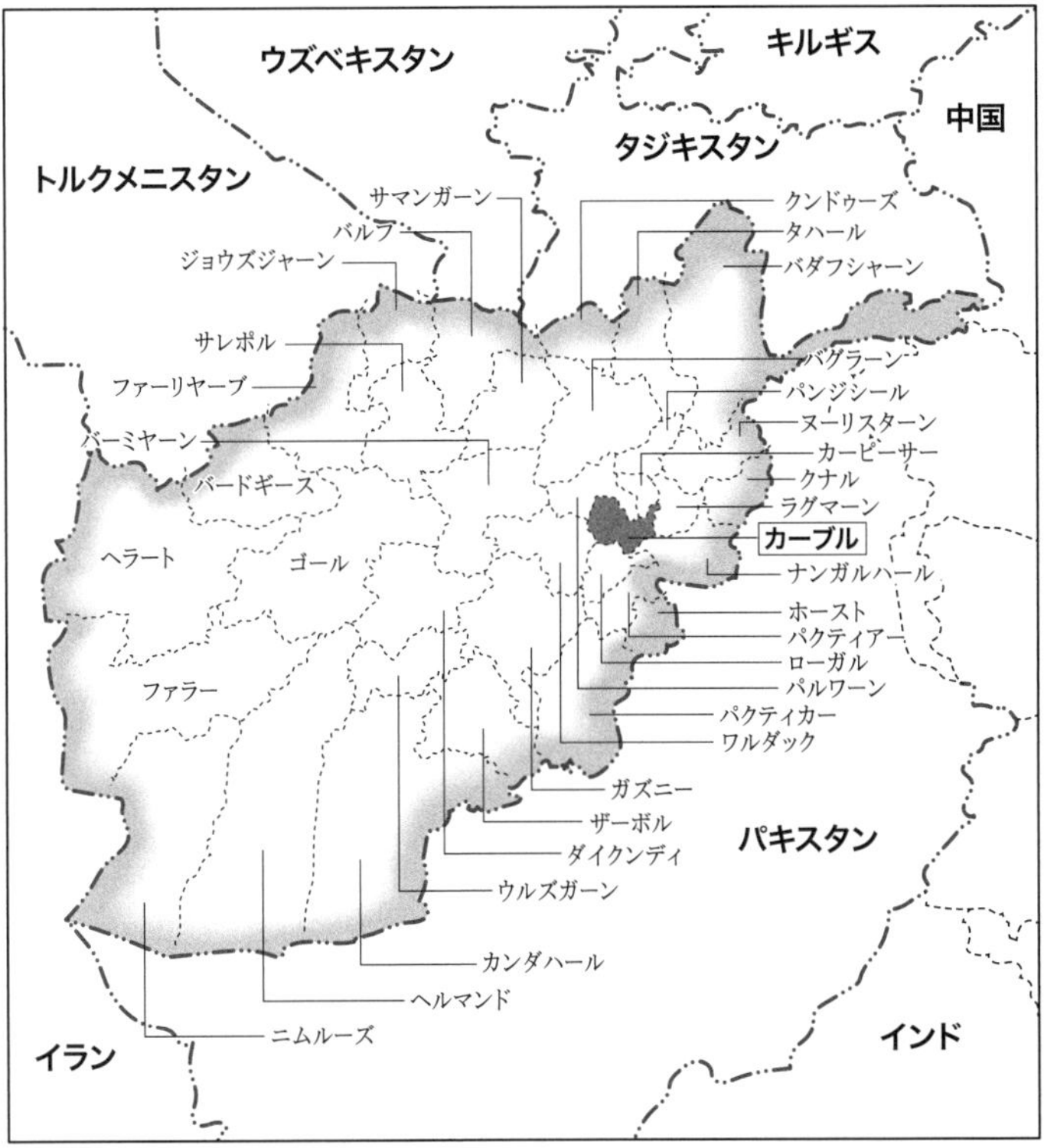

アフガニスタンの地図（全34州）

本書の表記について

本書では、なるべく現地語や現地の人々が実際に話す言葉の音に近い形での表記を心掛けた。一例としては、アフガニスタンの首都を、日本の新聞・雑誌ではカブールと表記することが多いが、長母音は前にあるため、カーブルと表記した。ターリバーンの表記も同様である。ただし、読者が違和感を覚えかねない国名・地名などについては、一般的な表記に準じた。その他、専門用語の多くは『岩波イスラーム辞典』を参考にした。

第一章　アフガニスタン和平実現に向けた取り組み

およそ五〇年間に及ぶ戦争と混乱

ターリバーンの捲土重来

二〇二一年八月一五日、アフガニスタンの首都カーブルがターリバーンの手に陥落した。ユーラシア大陸の中央部を揺るがす激震は世界に衝撃をもたらし、アメリカが主導した民主国家建設の失敗を鮮烈に印象づけるとともに、近隣諸国に動揺を与えた。

先立つ四月一四日、アメリカのバイデン大統領は、二〇〇一年九月一一日に発生したアメリカ同時多発テロ事件から二〇年目の節目に当たる九月一一日までに、駐留米軍を無条件で完全撤退させると表明した。同大統領は、アメリカは九・一一事件の首謀者であるアル゠カーイダ（ＡＱ：Al-Qaeda）のウサーマ・ビン・ラーディン指導者を二〇一一年五月一日にパキスタン領内で殺害しており、「テロとの戦い」には既に区切りがついていると主張し、完全撤退こそがアメリカの取るべき道だと強弁した。

しかし、軍特殊部隊も、ひいては民間軍事会社すら残さない全面的撤退は、アメリカの後ろ盾を得て発足したアフガニスタン・イスラーム共和国政府を劣勢に立たせることになった。

ターリバーンは二〇二一年五月以降、農村部を中心として、全国で大攻勢を仕かけた。五月上旬、ターリバーンは西部ヘラート州、ファラー州、および、南部ヘルマンド州で猛攻を浴びせた。五月五日には、北東部バグラーン州ボルカ郡がターリバーン側に陥落した。集計によれば、その後の五月五日〜七月一四日までの約二カ月半で、ターリバーンは全国四〇七郡の内、その四分の一以上に相当する一一八郡を新たに掌握した（全体の約二九％、筆者集計）。

ターリバーンの全国制覇に向けた軍事攻勢には、いくつかの特徴が見られた。第一に、ターリバーンは州都を含む各地で大規模攻勢を仕かけてイスラーム共和国治安部隊が応戦するもターリバーン側に陥落した地域が増加した。第二に、その一方で、ターリバーンは、アメリカ軍に死傷者を生じさせるほどの攻撃には及ばなかった。第三に、アメリカは一時的にアフガニスタンに注入する軍事資源を増加させつつ、慎重、かつ、確実に撤退を推し進めた。

ターリバーンは農村部の民家に押し入り、治安部隊の基地や哨戒所《しょうかいじょ》に対するゲリラ戦を続けた。とりわけ、補給路の断絶を狙い、全国の主要幹線道路沿いを中心に攻撃を仕かけた。地理的には、北東部タハール州、および、バダフシャーン州を優先的に攻略しようとした。

これは、同地域がタジク人多数地域であり、九〇年代に伝説的なアフマド・シャー・マスード司令官（タジク人）が最後まで、反ターリバーン勢力を結集させていた、いわばターリバーンにとっての鬼門だったことが背景にある。九〇年代とは異なり、ターリバーンは北東部を優先的に掌握することで、戦況を自派に有利に進めようとした。

そして、ターリバーンは、六月二二日に北に接するタジキスタンとの国境であるシェール・ハーン・バンダルを制圧した他、七月九日には西に接するイランとの国境であるイスラーム・カラを陥落させ、七月一四日には東に接するパキスタン国境であるスピーン・ボルダックを攻略し、四方から包囲にかかった（青木「二〇二一年のアフガニスタン　アメリカ軍撤退を受けて政権崩壊、ターリバーンが実権掌握」、五七五頁）。

一方の治安部隊は、アメリカから供与された戦闘機や攻撃型ヘリコプターを用いた空爆や特殊部隊投入により、徹底抗戦を試みた。治安部隊要員数は約三〇万人、一方のターリバーン戦闘員数は多くとも一〇万人と見積もられていた。しかし、非対称戦にもかかわらず、ターリバーンからの降伏の呼びかけに応じて戦列を離れる兵士が後を絶たなかった。八月六日、州都としては初めて、南西部ニムルーズ州都ザランジがターリバーン側に陥落した（**図表1**

4月14日	バイデン大統領が9月11日（注：その後8月末に変更）までのアメリカ軍撤退を発表
5～7月	ターリバーンが全国で4分の1以上の郡を新たに攻略
8月6日	南西部ニムルーズ州都ザランジが陥落
12日	中央部ガズニー州、西部ヘラート州、南部カンダハール州の州都が陥落
13日	中央部ローガル州の州都が陥落
14日	北部バルフ州都マザーリシャリーフが陥落
15日	東部ナンガルハール州都ジャララバードが陥落
	バイデン米大統領が米軍5000人の人員退避ミッション派遣を表明
	中央部ワルダック州の州都が陥落
	ガニー大統領が国外逃亡と報道される
	ターリバーンが大統領府を掌握

図表1　カーブル陥落までのタイムライン（2021年4月14日～8月15日）

（出所）各種公開情報をもとに筆者作成。

参照）。

ザランジ陥落を受けて、州都の陥落ドミノが発生した。八月一二日には、中央部ガズニー州、西部ヘラート州、並びに、南部カンダハール州がターリバーンによって制圧され、ターリバーンがカーブル奪取をうかがう状況が生まれた。八月一四日には、北部の要衝マザーリシャリーフも攻略され、八月一五日朝までには東部ナンガルハール州都ジャララバードもターリバーン側に陥落する事態に陥った。

多くのケースにおいて、ターリバーン側の進攻を前に、治安部隊要員らは州知事庁舎や基地を明け渡し、ターリバーン側に投降した。ターリバーンは部族長老らを通じて、州知事や国軍司令官に水面下で働きかけていたものと考えられる。

八月一五日、カーブルが包囲される中、ターリバーンは戦闘員らに対して、カーブルは大都市であるから流血の事態を避けるため入城しないよう指示した。イスラーム共和国政府側も対話を通じて包摂的な政権を樹立する意向を示した。

しかし、アシュラフ・ガニー大統領（パシュトゥーン人）が国外逃亡を図ったことが伝えられると、ターリバーンは態度を一変、治安部隊要員らが持ち場を離れ市民の生命と財産が脅かされているとして戦闘員に入城を指示した。

これによって、大統領府がターリバーンによって攻略され、過去二〇年間にわたって国際社会が支援し続けたイスラーム共和国政府が事実上崩壊した。二〇年の時を経て、権力の座を追われたターリバーンが、捲《けん》土《ど》重来《ちょうらい》を果たした瞬間だった。ターリバーンによる報復を恐れる人々は、唯一の退避路となったカーブル国際空港に殺到した。

クーデタ、権力闘争、大国の介入と干渉

ターリバーンが復権したことは世界を驚かせたが、このような政変が勃発した要因には、

アフガニスタンが約五〇年間に及ぶ戦争と混乱を経験してきた経緯がある。中東と中央アジアと南西アジアを結節する陸封《りくふう》国という地政学的条件から、アフガニスタンにとっての最重要課題は、一貫して国家の政治的独立を達成し維持することであり続け、そのために諸外国による干渉と介入との狭間で紆余曲折を経てきた。

まずもって、ターリバーンによる暴力を用いた政治的主張と人権軽視の姿勢を擁護することは断固としてできない。ただ、ターリバーンが混迷を極めたアフガニスタン現代史の産物であることも否定できないところに、アフガニスタン情勢を把握する難しさがある。

一九七三年七月、ムハンマド・ザーヒル・シャー国王（在位一九三三〜一九七三年）の従兄弟であるムハンマド・ダーウード・ハーン元首相が無血クーデタを起こしたことは、アフガニスタン現代史の分水嶺となった。以降、アフガニスタンはおよそ五〇年間に及ぶ戦争と混乱に苛まれるようになる。

クーデタ以前のアフガニスタンは、ザーヒル・シャー国王の治世下、立憲君主制を敷き、貧しいながらも安定していた。一九六四年に公布された憲法は、民主化を漸次的に進め、女性の参政権をも認める革新的なものであった。実際、その当時のアフガニスタンは地域で最

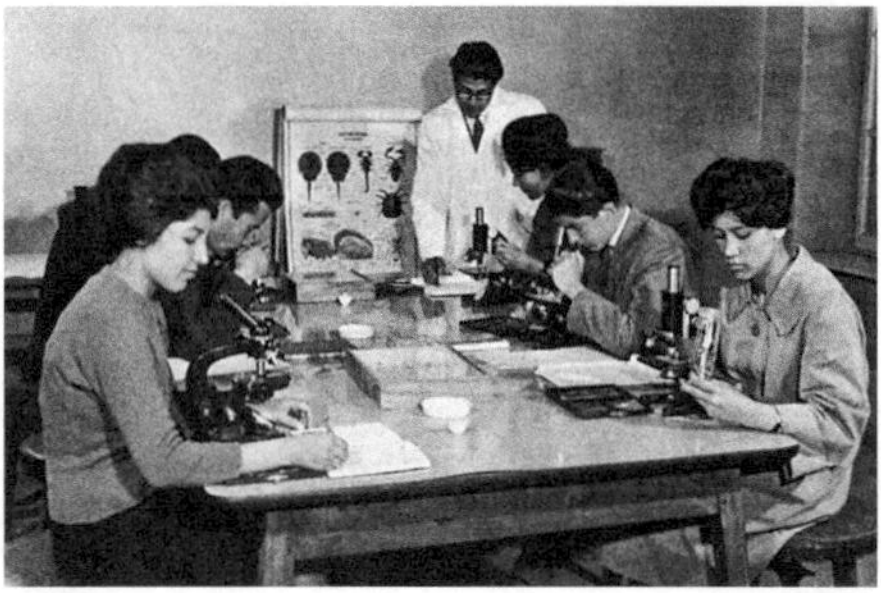

写真１－１　1950年代、カーブル大学で生物学の講義を受ける女学生たち

（出所）Wikimedia Commons（https://commons.m.wikimedia.org/wiki/File:1950s_Afghanistan_-_Biology_class,_Kabul_University.jpg）

も先進的な国の一つであった。私の知るパキスタン人のさる元将官は、当時、パキスタン北西部の街ペシャーワルから多くのパキスタン人がバスに乗り、カーブルの映画館を目指したものだと語っていた。今なお、ヴェールで頭髪や肌を覆わないカーブル大学の女子学生が研究や授業に取り組む当時の写真が数多く残っている（**写真１－１**）。

しかし、一九七三年に無血クーデタによってアフガニスタン共和国の成立が宣言されると、今日に至る混乱の時代に突入した。当時のアフガニスタン社会は、共産主義思想の流入や、イスラーム主義に傾倒する若者の台頭、都市と地方の格差拡大、エリートと農民の格差拡大などで混沌とする動乱の只中にあった。一九六五年一月、共産主義政党であるアフガニスタン人民民主党（ＰＤＰＡ：People's Democratic Party of Afghanistan）が結成されたことは、社会の底流で変化が起こり始めたことを象徴していた。

同年一〇月、カーブルの大学生を中心とした大規模なデモが発生し、三人が死亡した。

一九七四年、ダーウード政権によるイスラーム主義勢力への政権批判の活動への弾圧により、二〇〇人を超えるイスラーム指導者がカーブルで逮捕された。この時、後の対ソ連戦でムジャーヒディーン（ジハード［聖戦］を行う者たち）勢力を率いることになるグルブッディーン・ヘクマティヤールやブルハーヌッディーン・ラッバーニーはパキスタンに逃れ、ムスリム同胞団の指導者グラム・ムハンマド・ニアーズィーは投獄された。ヘクマティヤールとラッバーニーは、パキスタンのペシャーワルを拠点に反ダーウードの戦いを開始した（前田・山根『アフガニスタン史』、一一七～一二一頁）。

　そして、一九七八年四月、ＰＤＰＡ青年将校らが共産主義革命（サウル革命）を引き起こし、ダーウードとその一族を処刑した。このクーデタを主導したのは、一九七三年の無血クーデタでダーウードを支持したタジク人司令官のアブドゥル・カーディル将校であった。革命を成就させたＰＤＰＡ党首のヌール・ムハンマド・タラキー（在位一九七八～一九七九年九月）が、アフガニスタン民主共和国の初代大統領兼首相に就任した。しかし、内部対立に伴う政敵の粛清は続き、ハフィーズッラー・アミン（在位一九七九年九～一二月）、バブラク・カールマル（在位一九七九年一二月～一九八六年）へと政権は次々に交代した。

これら共産主義政権の後ろ盾だったソ連が、一九七九年一二月に地上軍派遣を伴う軍事介入を断行し、以後約一〇年に及ぶ戦争が続くことになった。

確認しておくと、ソ連とアフガニスタンとの関係は一貫して険悪だったわけではなく、山あり谷ありの関係であった。一九五三年にダーウードが首相に就いた際、アフガニスタンはソ連に接近した。一九五四年初頭、アメリカがパキスタンへの武器供与に合意し、パキスタンが東南アジア条約機構、および、バグダード条約に相次いで加盟するなど、アフガニスタンにとっては東方に脅威が出現する状況が現れた。アフガニスタンは、アメリカとの武器供与に向けた交渉が決裂すると、ソ連に向かい始めた。一九五五年末には、ロヤ・ジルガ（部族大会議）を説得し、ソ連との全面的な軍事同盟を認めさせた。

ロヤ・ジルガとは、伝統的部族社会であるアフガニスタンにおいて、同国の国家的問題に関する重要事項を決めるために、全土から部族の長や指導者を招集して行われてきた大会議である。その当時、アフガニスタンは軍事面では巨額の軍事援助をソ連から受け取り、経済面では穀物用のサイロ、小麦粉製粉所、および、製パン所などが次々に建設された。ソ連は、戦略的に重要な、アフガニスタン中央部と北部とを結ぶ幹線道路とサラング峠の整備にも着手するなど、この時期のソ連の支援はアフガニスタンの基幹整備に貢献した（ユアンズ『アフガニスタンの歴史』、一七二〜二〇二頁）。

さて、一九七九年一二月に始まったソ連のアフガニスタン侵攻は、ソ連を後ろ盾とするカールマル政権、およびそれを引き継いだナジーブッラー政権（在位一九八六〜一九九二年）と、それに対してジハードを掲げるムジャーヒディーン勢力との間の激しい戦争という形を取った。西側諸国は、ソ連の拡張を抑え込むべく、武器・弾薬・資金をムジャーヒディーン勢力に供与した。このため、アフガニスタンは、さながら米ソ代理戦争の舞台の様相を呈した。

一九八九年二月、遂にソ連軍が撤退し平和の訪れへの期待は高まったが、束の間の平穏は長くは続かなかった。生き残ったナジーブッラー政権は、ムジャーヒディーン勢力からの攻勢を受けながらも存続に向けて何とか凌いでいた。しかし、一九九一年一二月にソ連が崩壊すると、ソ連はナジーブッラー政権への軍事援助を停止した。これを受けて、同政権は国軍兵士や警察官への給与を支払えない事態となり、一挙に劣勢に立たされた。

ナジーブッラー政権に弔《とむら》いの鐘が響く中、一九九二年四月一五日にナジーブッラー大統領はカーブル空港から国外脱出を図ろうとしたが、行く手を遮《さえぎ》られると姿を消した。その後、国連施設内に入ったことが判明した。権力の空白を埋めるべく、ムジャーヒディーン各派がカーブルへ進軍を始め、ペシャーワル合意に基づきセブガトゥッラー・ムジャッディディーを首班とするムジャーヒディーン連立政権（アフガニスタン・イスラーム国）を設立させることで一応の決着を見た（ユアンズ『アフガニスタンの歴史』、二九〇～二九一頁）。

しかし、これでようやく戦争は終わるとの国民の淡い期待を裏切るかのように、権力の座についたムジャーヒディーン各派が内部での権力闘争を始めてしまい、アフガニスタンは暗黒の時代に突入することになった。一九九二～一九九四年の内戦時代のアフガニスタンは、実効支配勢力がいない無秩序状態《アナーキー》に陥った。カーブル市内では、ヘクマティヤール率いるイスラーム党（パシュトゥーン人主体）、ラッバーニー率いるイスラーム協会（タジク人主体）、ドゥーストム率いる国民運動党（ウズベク人主体）、マザーリー率いる国民統一党（ハザーラ人主体）が、各々の地区を護りながら、敵対勢力へ容赦なく攻撃を繰り返す、血で血を洗う苛烈な戦争が繰り広げられた。

内戦時代、ムジャーヒディーン兵士は山賊と化し、暴行、略奪、および、誘拐を繰り返し、中には通行税と称して金品を巻き上げる者も出現した。イスラーム党のヘクマティヤール指導者と、イスラーム協会のマスード野戦指揮官の間での戦闘などにより市街地は破壊され尽くし、カーブル市民三万人が殺され、一〇万人が負傷したとも記録されている（ユアンズ『アフガニスタンの歴史』、二九五頁）。

また、南部カンダハール州では、地元に戻ったムジャーヒディーン兵士が非道を働いたことで治安が著しく悪化した。当時、在パキスタン日本国大使館のアフガニスタン担当官として勤務していた高橋博史によれば、昔より男色が盛んな同地では、略奪、暴行を働くムジャーヒディーン野戦指揮官たちが道行く少年を誘拐し強奪していたばかりでなく、埋葬されたばかりの遺体を掘り起こして死体から油をとって売買したり、人骨を秤にかけて飼料として売買したりする者まで現れた（高橋「ターリバーン出現の背景と最高指導者ムッラー・ウマル」、七頁）。

こうした悲惨極まる状況の中、ターリバーンが世直しを掲げて南部から台頭した。一九九四年七月、南部カンダハール州で、ゲリラのリーダーが女性三人を暴行し殺害する事件が起きた際、ターリバーン創始者で初代最高指導者のムッラー・ムハンマド・ウマル（パシュトウーン人）はこうした非道な行為を何とかしてほしいという地元民の声を受けて、仲間を呼び集めて司令官を処刑し、民兵を追い散らした。これを境に、このグループはほかの残虐行為に対しても出動するようになった。

　ターリバーンによる進撃が全国に拡大する起点になったのは、その後の一〇月末のトラック襲撃事件であった。当時、パキスタンのブットー首相、および、バーバル内相は、パキスタンからアフガニスタンを経由して中央アジアに通じる陸上交易路を開拓しようと画策した。そうした中、同年一〇月三〇日に、バーバル内相は、報道機関に情報を提供しつつ、生活用品を積載したトラック三〇台をパキスタンのクエッタからトルクメニスタンに発進させた。しかし、一一月一日、トラックはアフガニスタンに入境した後に山賊に襲撃された。この事件を受けて、二〇人程のターリバーンが決起して山賊を撃退し、その名を轟《とどろ》かせることになった。

　その後数日以内に、ムッラー・ウマル率いるターリバーンは南部カンダハール州を制圧し、翌一二月にはアフガニスタン南部を掌握するに至った。人員数も、当初の二〇人から、一九九四年一一月末には二〇〇〇人、一二月末には二万人と膨れ上がっていった（前田・山根『アフガニスタン史』、一六八〜一六九頁）。

日に日に支配領域を拡大するターリバーンは、一九九六年九月にはカーブルを制圧し、一九九七年一〇月にアフガニスタン・イスラーム首長国を宣言するに至った。ターリバーンは、法と秩序の回復にスンナ派のイスラーム法を適用し、犯罪行為を減少させたといわれる。確かに、後に続く支配時代において、女性の権利侵害、および、偶像崇拝や娯楽の禁止などによって国民からの支持を次第に失ったものの、ターリバーンが暗黒の時代に一定の秩序をもたらした側面は否定できない。

九・一一事件の発生は、こうしたターリバーンによる実効支配という政治状況を一変させた。

アメリカと同盟国による軍事介入を経て、二〇〇一年一二月五日に締結されたボン合意をもとに新生アフガニスタンが誕生した。カルザイ暫定行政機構議長の指導の下、アフガニスタン・イスラーム共和国が船出した。しかし、カルザイは全国に統治を行き届かせることができず「カーブル市長」と揶揄される状況が続いた。一方のターリバーンは、祖国が外国軍によって「占領」されているとの認識の下、殉教（自爆）攻撃、簡易爆発装置の爆発、複合攻撃、内部攻撃などを織り交ぜた激しい武装抵抗活動を続けた。

二〇年間続いたアメリカによるアフガニスタン戦争では、最大で一三万人以上が派兵され、アメリカ軍の死者数は二四四二人を数え、アフガニスタン治安部隊の死者数は七万五〇〇〇人以上、同じく民間人の死者数は七万人以上に及んだ（Crawford and Lutz, *Human and Budgetary Costs to Date of the U.S. War in Afghanistan*）。財政支援額も、二〇年間のアメリカの対アフガニスタン軍事支援は二兆ドルを超えた。日本の対アフガニスタン民生支援額だけ見ても、六九億ドルを超える税金が投入された。

四八年間（一九七三～二〇二一年）の政変や侵略や戦争という混乱の極みを経て、ターリバーンが全国制覇を果たした。本稿執筆現在、抵抗勢力を抱えながらも、アフガニスタンではターリバーンが国土のほとんどを実効支配している。

アフガニスタンの政治勢力と権力関係

主要な政治勢力の概観

民族対立、イデオロギーの相違、大国の干渉などを背景に、アフガニスタン現代史は紆余曲折を経てきた。こうした中、あらゆる民族・政治派閥を包摂した政治体制の構築が強く求められている。アフガニスタンにおける真の和平実現のためには、ターリバーンが諸民族・政治派閥に権力を分与し、諸民族・政治派閥も自勢力の主張を完全に押し通すのではなく譲歩するといった、双方の妥協が求められる。しかし、現実にはそうなっていない。

それでは、アフガニスタンの政治勢力はどのように分類され、各々、どのような立場を取っているのであろうか。

アフガニスタンは幾度とない政治体制の転換を経ているため、国内諸勢力間の関係性を、体制派・反体制派、あるいは、保守派・改革派のように二項対立で表すことは実態にそぐわず、むしろ混乱を招く恐れもある。

政治勢力の外観を正確に理解するためには、実際の政治体制の変遷に沿って、主要な政治勢力を、①一七四七年の建国から一九七三年の無血クーデタまで約二二六年間にわたって国家を統治したドゥッラーニー朝の王族、②一九七八年のサウル革命で政治的に台頭した共産主義勢力、③一九七九年から一九八九年の対ソ戦で抵抗運動を指揮したムジャーヒディーン勢力、④内戦、および、ターリバーン「政権」時代に国外に逃れた海外組を中心とするテクノクラート、⑤一九九六年にイスラーム国家樹立を宣言し二〇〇一年一二月まで実効支配したターリバーン、の五つに大別することが有用である（**図表2参照**）。

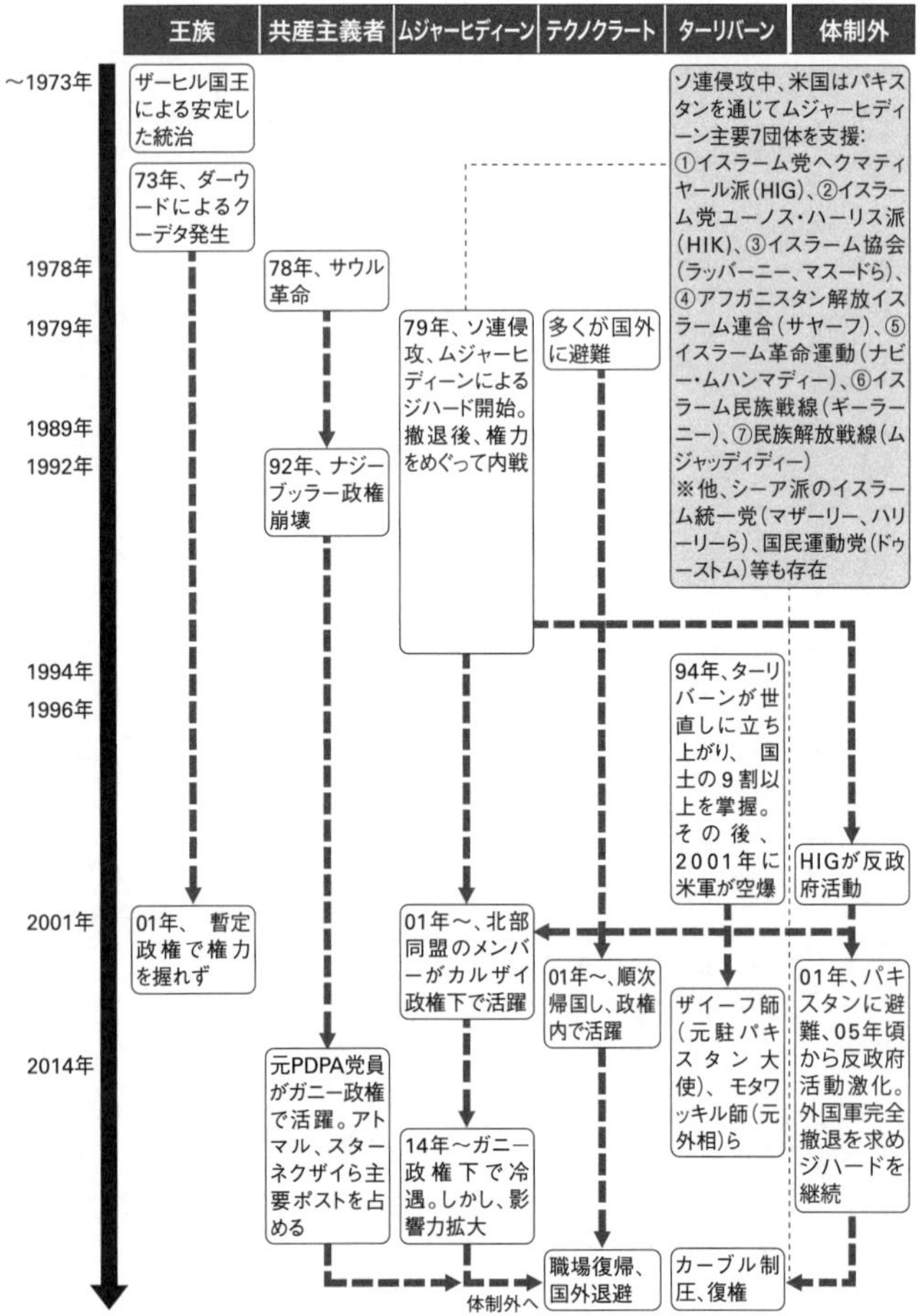

図表2　アフガニスタンの主要な政治勢力

（出所）筆者作成。

権力基盤を失った王族

一七四七年に成立したドゥッラーニー朝は、ドゥースト・ムハンマド・ハーン（在位一八二六～一八三九年・一八四三～一八六三年）によりバーラクザイ氏族に王家が移行したことはあったものの、ほぼ一貫してアフガニスタンの支配を続けた。王族の中でも、特に一九三三年に国王に即位し一九七三年まで在位したザーヒル・シャー国王は、イスラーム共和国政府の憲法第一五八条で国民の父として位置づけられ、その現代政治への影響は少なくなかった。

とはいえ、二〇〇一年のボン合意以降の国家建設の過程で、旧国王派による国王の復権に向けた画策が成功することはなかった。ザーヒル・シャー国王は二〇〇二年四月一八日、一九七三年のクーデタ以来約三〇年ぶりに亡命先のローマから帰国した。そして、同年六月に実施予定の緊急ロヤ・ジルガに向け、タジク人を主体とする北部同盟（ターリバーンに対抗していたムジャーヒディーン連合勢力）が権力を独占することに反発するパシュトゥーン人勢力はザーヒル・シャー国王の国家元首就任を希望した。しかし、アメリカと国連はカルザイを国家元首に据えると水面下で主張した。このため、ザーヒル・シャー国王は象徴的な役割を有するのみの国民の父の立場を受け入れざるを得ず、権力から遠ざけられた経緯がある

（進藤『アフガニスタン　祖国平和の夢』、一一四〜一四〇頁）。

ザーヒル・シャー国王自身が二〇〇七年七月二三日に死亡したこともあって、現在、王族の末裔が表舞台で活躍する姿は見られず、政治面での存在感はほとんどないといえる。

共産主義勢力

共産主義勢力は、一九七八年四月にPDPA青年将校によるクーデタで権力を掌握し、一九九二年四月にナジーブッラー政権が崩壊するまで権力を掌握した。しかし、一九六〇年代からハルク派とパルチャム派に分裂した共産主義勢力は、クーデタ成功後も、内部の権力闘争が激しく一枚岩ではなかった。一九七八年四月三〇日にヌール・ムハンマド・タラキーがアフガニスタン民主共和国大統領兼首相に就任後、一九七九年九月にはタラキーが暗殺され、ハフィーズッラー・アミンが代わりに大統領に就任した。

同年一二月には、ソ連軍侵攻によりアミンが死亡し、バブラク・カールマルが権力を掌握している。イスラーム共和国体制下でも、一九八九年から一九九二年までPDPAパルチャム派に属したヌールルハック・ウルーミー（パシュトゥーン人）が二〇一五年に内務大臣を務めるなど、現在に至るまで共産主義勢力は一定の政治的影響力を有していた。

ムジャーヒディーン勢力

　これら王族や共産主義勢力と異なり、現代政治において多大な影響力を有してきたのがムジャーヒディーン勢力である。二〇〇一年一〇月に始まったアメリカからの空爆によりターリバーンが権力の座を追われたことで、それまで劣勢に立たされていたムジャーヒディーン勢力はより優位な立場に立った。ボン合意におけるターリバーン不在の状況を利用し、暫定政権ではムハンマド・カスィーム・ファヒーム（タジク人。イスラーム協会）が国防大臣、ユーノス・カーヌーニー（タジク人。イスラーム協会）が内務大臣、アブドゥッラー・アブドゥッラー（タジク人）が外務大臣の要職を占めるなど、二〇〇一年以降の国家建設は北部同盟とカルザイを中心に進められた。

　暫定政権発足当時、中央権力の軍事力が脆弱《ぜいじゃく》だった一方でムジャーヒディーン勢力が群《ぐん》雄《ゆう》割拠《かっきょ》していたその当時の状況では、これら勢力に対する政治的配慮なしに物事を進めることは困難であった。二〇〇四年大統領選挙の結果、第一期カルザイ政権では、第一副大統領をアフマド・ズィアー・マスード（タジク人。イスラーム協会のアフマド・シャー・マスード将軍の実弟）、第二副大統領をカリーム・ハリーリー（ハザーラ人。イスラーム統一党指導者）が務め、イスマーイール・ハーン（タジク人。イスラーム協会所属で西部ヘラート州を実効支配した野戦指揮官）を水・エネルギー大臣に就けるなど、枢要な職がムジャーヒディーン勢力に分配された。

海外移住組のテクノクラート

テクノクラートは、ボン合意以降、それまで紛争の惨禍を逃れるため海外に移住した知識人層の多くが祖国に帰国したことで、イスラーム共和国政権下でその政治的存在感を増した。その代表的な人物が、ガニー元大統領であった。ガニー元大統領は、米コロンビア大学で人類学博士号を一九八二年に取得後、一九八三〜一九九一年までカリフォルニア大学バークレー校、および、ジョンズ・ホプキンス大学で教鞭を取り、エコノミストとして世界銀行での勤務を経て、二〇〇二年にカルザイが議長を務めた暫定行政機構で財務大臣を務めた(Johnson and Adamec, *Historical Dictionary of Afghanistan*, pp.187-188)。

二〇一四年に大統領就任後、ガニー元大統領はカルザイ政権下で利権を独占していたムジャーヒディーン勢力に一定の配慮を示しつつも、閣僚の多くにテクノクラートを登用し、ムハンマド・ハニーフ・アトマル（パシュトゥーン人。カルザイ政権下で地方復興開発大臣、教育大臣、内務大臣を務め、ガニー政権下で国家安全保障評議会書記、外務大臣）やムハンマド・マアスーム・スターネクザイ（パシュトゥーン人。カルザイ政権下で通信大臣、和平高等評議会事務局長を務め、ガニー政権下で国防大臣、国家保安局長官）などの側近が重用された。

「世直し」を掲げたターリバーン

ターリバーンは、内戦により国土と民心が荒廃する中で救国を旗印にして勢力を伸ばしたが、二〇〇一年一〇月にアメリカが開始した空爆により権力を追われ、反政府武装勢力の立場に置かれた。二〇二〇年二月二九日署名のアメリカ・ターリバーン間の和平取引（ドーハ合意）により、政治的ステータスを一挙に高めた。

イスラーム共和国政府下では、ムジャーヒディーン勢力とテクノクラートが権力中枢を占め、大きな利権を掌握した。これに共産主義勢力が次ぎ、さらに王族が非常に限られた潮流を形成していた。これらと別に、ターリバーンが体制外の勢力であるものの、最大民族パシュトゥーン人を部分的に代表する勢力として、軍事・政治攻勢を強めていた。カーブル陥落によって、このターリバーンが復権したことについてはすでに触れた。

なお、重複した属性を持つ政治有力者もいれば、いずれのカテゴリーにも分類されない政治有力者もいる点に留意が必要である。

未完の和平プロセス

ボン合意時点でのターリバーン排除という「瑕疵」

それでは、このような多様性溢れるアフガニスタン社会において、一体どのような形ですべての人々が尊厳ある生活を保障される体制を構築すればよいのであろうか。

現実的に考えて、ターリバーンを軍事的に排除することが困難である一方、アフガニスタンが多民族国家であるからには、すべての民族・政治派閥に正当な地位が与えられることが安定のために不可欠である。このため、国民和解を進めることが急務だ。実は、アフガニスタンの諸民族・政治派閥間での対話は過去にも累次にわたって行われてきた。

そもそも、二〇〇一年一二月に戦後復興のロードマップを定めたボン合意でターリバーンが排除されたことが、将来に禍《か》根《こん》を残した。当時、アメリカと有志連合による軍事介入で劣勢にあったターリバーンの指導部は、降伏の文書を持った代表者をカルザイ暫定行政機構議長に手渡したという。しかし、ジョージ・W・ブッシュ政権はターリバーン側の要求を拒否した。そして、多くのターリバーン構成員は、グアンタナモ刑務所に送り込まれた（Coll, *Directorate S*, pp.101-102）。

ボン合意をまとめた立役者の一人であるラフダル・ブラヒミ国連事務総長特別代表は、後のインタビューで、ターリバーン各派をボンに招くべきだったと述懐しつつ、ターリバーンをボン・プロセスから排除したことを、その後アフガニスタンが国家として安定しなかったことの「原罪（the original sin）」と表現している（Brahimi et al., "An Interview with Lakhdar Brahimi: Interviewed by Mary Sack and Cyrus Samii," p.244）。この時の拒絶は、アメリカに後に高い代償を支払わせることになる。

二〇〇二年に入っても、ターリバーン側はカルザイ政権と政治的解決を図ることを模索していた。この年の一一月、パキスタン国内のある場所で、ターリバーン幹部らが一堂に会し、新しくできたイスラーム共和国政府との政治的関与と和解について議論した。この会議に参加したターリバーンの一人は、「ムッラー・ムハンマド・ウマル師はその場にいなかったが、全参加者は高位の役職で元閣僚クラスだった。参加者は、アフガニスタンにおける政治プロセスにターリバーンが参画すべきか否かを協議し、最終的には政治プロセスに参画すべきだとの結論に至った」と述べている（Kuehn and Linschoten, *Separating the Taliban from al-Qaeda: The Core of Success in Afghanistan*, p.6)。また、さるターリバーン幹部らはこの時を分水嶺と述懐しており、もしもアフガニスタンに帰還しても拘束されないとの保証を与えられたならば政治プロセスに参加していただろうと語っている。しかし、イスラーム共和国政府も国際社会も、ターリバーンと関与すべきか否かについて何の反応も返さなかった。

同じように、ターリバーン「政権」で外相だったワキール・アフマド・ムタワッキルは、パキスタンで潜伏生活を送っていたが、政治プロセスについて議論するためアメリカ政府関係者と会うべくカンダハール飛行場まで赴いた。アメリカ中央情報局（ＣＩＡ：Central Intelligence Agency）は、カンダハール飛行場の中に工作拠点を持っており、そこでＣＩＡと一時的に拘束されたムタワッキルは、ターリバーン構成員によるカルザイ政権を支持する新党結成を中心とする「ターリバーンによるカルザイ支持（Taliban for Karzai）」と呼ばれるアイデアを起案した。ＣＩＡ幹部は、そのアイデアをまとめるとアメリカに飛び、ＣＩＡ本部でこの計画について説明をした。しかし同席していたディック・チェイニー副大統領は「その案は採用しない」と一蹴した（Coll, *Directorate S*, pp. 140-142)。

その後、約二〇年間の臥《が》薪《しん》嘗《しよう》胆《たん》の末に復権したターリバーンにしてみれば、当時、自派を不遇の境地に追いやり冷や飯を喰わせたイスラーム共和国政権の中枢を占めた諸勢力に対し、権力を分与するインセンティブは低いといわざるを得ない。こうした確執が、和平プロセスの進展を著しく困難にしてしまい、後の混乱を招いたと私は思っている。

二回目の和平への機運

政治的解決に向けた努力がうまくいかなかった後、ターリバーンは二〇〇四〜二〇〇五年頃から、外国軍とその傀儡《かいらい》と彼らが見做すイスラーム共和国政府に対する武装抵抗活動を激化させた。

二〇〇五年にアフガニスタンに初めて赴任した私は、その頃、カーブルと東部の都市ジャララバードを結ぶ通称「ジャララバード・ロード」沿いで、ターリバーンによる外国軍車列に対する自爆攻撃が頻発していたことをよく覚えている。外国軍の高機動車が市内を走る場合には、決して近づかないようにとのアドバイスが、国際機関や大使館から、各援助団体に通達された。

二回目にターリバーンがアメリカとの交渉に積極的に乗り出したのは、二〇〇九年のことだった。ムッラー・ウマルに通ずるタイブ・アーガーという人物を介し、アメリカはターリバーン指導部との接触を始めた。アメリカは、アフガニスタン事情に精通するバーネット・

ルービンを、ターリバーンとの交渉開始の可能性を模索する担当者に当てた。ＣＩＡの評価によれば、二〇一二年の時点で、ターリバーンは「アメリカと互角の戦いをみせて」おり、「ターリバーンを軍事的に打倒することができないのであれば、そして彼らの政権復帰を阻もうとするのであれば、現実的に実行可能な唯一の選択肢はなんらかのかたちで政治的解決を図る」こと以外にはないとの認識が定着していた（コール『シークレット・ウォーズ（下）』、三九一頁）。

当時、ターリバーン指導部との和解工作が進められる一方、中・下級司令官と末端兵士をアフガニスタン社会に再統合する試みも並行して進められた。この試みは、「アフガニスタン平和・再統合プロジェクト（ＡＰＲＰ：Afghanistan Peace and Reintegration Programme）」と呼ばれ、カルザイ大統領が二〇一〇年に承認したことで、正式に開始された。アフガニスタン国内にはラッバーニー元大統領を代表とする和平高等評議会が設立され、欧米各国・機関からの財政援助を基に、同評議会の全国三四州の支部が国連開発計画や国際治安支援部隊と協力しながらターリバーンとの接触を図った。

私が二〇一一〜二〇一三年まで在アフガニスタン日本国大使館政務班でこのプロジェクト

を管理していた際、ターリバーン元司令官らから何度か聴き取りをした。二〇一二～二〇一三年にかけて行った聴き取り調査において、さるターリバーン元司令官は「もう同じアフガニスタン人同士で殺し合いをしたくない」と私に語った。これらの人物らの中には、ターリバーン指導者評議会に近い人物もいた。この意味では、ターリバーンの中にも長引く戦争に辟易《へきえき》とし、武器を置くことを選ぶ穏健な派閥もあった。

アフガニスタン国民の間でも、厭戦《えんせん》感情は広がっていた。二〇〇八年に平和構築を専門とする東大作が、カーブル、南部のカンダハール州、中央部のワルダック州、カーピーサー州で現地調査（計四カ所で合計七〇人程に個別インタビューを実施、また二六〇人の村人にアンケート調査を実施）を行ったところ、九割を超える一般のアフガニスタン人が、ターリバーンとの和解でしか平和を達成できないと答えた。東は、ほとんどの回答者が、「軍事的にタリバンを駆逐するのは無理であり、和解をして共に生きていくのが平和への唯一の道」と真剣に話していたと回顧している（東「アメリカはなぜ失敗したのか」、三六～三七頁）。

このように和平への機運が高まった背景には、二〇一四年に大きな二つの移行が計画されていたことがあった。一つの移行は、大統領選挙である。二〇〇四年から大統領を一〇年間務めたカルザイ大統領から、選挙という民主的手続きを経て、後継者への権力移行が予定された。

二つ目の移行は、駐留外国軍戦闘部隊からイスラーム共和国政府治安部隊への治安権限の移譲である。一四万人以上を数えた駐留外国軍が、規模を一万二五〇〇人前後まで縮減させ、任務の内容についても戦闘から、訓練・支援・助言へと変更することが計画された。二〇一四年以降、イスラーム共和国政府がターリバーンを軍事的に掃討する実現性は低いと考えられていたことから、ターリバーンを政治的に「取り込む」ことで解決を図ろうと計画された。

ＡＰＲＰ最終報告書によれば、同プログラムは二〇一六年三月末まで続き、合計一万一〇七四人の元反政府武装勢力の構成員を再統合させることに成功した。これは政治的和解への機運を、中・下級司令官と末端兵士の再統合というボトムアップ・アプローチによって演出したという意味において、少なからぬ成果を挙げたといえる。

他方、ＡＰＲＰは、ターリバーン指導部の立場からすれば、敵対勢力による勢力の削ぎ落し戦略に見えていた。このため、ＡＰＲＰ関係者は深刻な治安上の脅威に晒され、実際に数多くの関係者が暗殺された。和平高等評議会代表を務めたブルハーヌッディーン・ラッバーニーは、二〇一一年九月にターリバーンが送り込んだ人物によって、爆殺された。犯人は、頭に被ったターバンに爆発物を隠し持っていた。ラッバーニーは北部同盟の中心的人物であった。ターリバーンの観点からすれば、一九九〇年代当時に敵対していた勢力の指導者が、一方的に和平プロセスを仕切っていたとの見方になる。同様に、和平高等評議会関係者への脅迫や殺害の事例は後を絶たなかった。

カタール政治事務所の設立とパキスタンでの和平協議

ノルウェー、フランス、日本の同志社大学などのイニシアチブによる累次の信頼醸成措置を経て、二〇一三年六月一八日、カタールの首都ドーハにターリバーン・カタール政治事務所が開設された。ターリバーンが、一九九〇年代に用いた「アフガニスタン・イスラーム首長国」の白地に黒文字が書かれた旗を掲揚したことにカルザイ大統領が激怒し、和平プロセスは、一度は頓挫した。しかし、このターリバーン・カタール政治事務所が、後のドーハ合意につながる交渉の舞台となった。

その後もターリバーンは、二〇一五年七月七日にパキスタンの景勝地マリーで、イスラーム共和国政府との和平交渉に臨んだ。ターリバーン側からはムッラー・アブドゥルラティーフ・マンスール（ターリバーン「政権」元農業大臣）を含む一行が、イスラーム共和国政府側からハージー・ディン・ムハンマド和平高等評議会メンバーを含む代表団が一堂に会し、対面による和平協議が行われた。

カルザイ政権期と比べ、ガニー政権は、ターリバーンとイスラーム共和国政府間の信頼醸成措置を活発化させた。この背景には、ガニー大統領自身が、ターリバーンを政治的に取り込むことでしかアフガニスタンにおける恒久的な平和はないとの認識を持っていたことが挙げられ、具体的には、中国、パキスタン、イランなどが仲介する形で各種会合が行われた。

和平協議に参加したヘクマト・カルザイ外務副大臣（カルザイ大統領の従兄弟）は、ターリバーン側は、囚人の釈放、国連制裁リストからの同胞の抹消、駐留外国軍の完全撤退、憲法の修正などを主な要求事項として挙げた、と報道陣に対して語った。このように、両勢力の「代表団」が対面で、お互いの不満や意見を述べたことは意義あることだった。

しかし、ターリバーン側の出席者には、指導部から政治問題に関して一任されているカタール政治事務所からの参加はなく、またパキスタンの息のかかったターリバーン関係者のみを出席させたとの見方もあって、マリー協議に参加したターリバーン一行が、指導部の委任を受けていたか否かについては、実は、判然としなかった（青木「ターリバーンとアフガニスタン政府の和平協議」、九八頁）。この時点で、マリー協議をめぐっては、ターリバーン内部に和平推進派と慎重派の意見対立があった可能性がある。

問題をさらに複雑化させたのは、ターリバーン最高指導者ムッラー・ウマルの死であった。二回目のマリー協議が迫る中、ターリバーンから分派した武装勢力マハーゼ・フェダーイーは、ムッラー・ウマルが二〇一三年七月に殉教したと暴露した。イスラーム共和国政府側も、ムッラー・ウマルの死に関する情報に接していると発表したことで、公表を余儀なくされたターリバーンは、七月三〇日、時期については言及せずに、ムッラー・ウマルがアフガニスタン国内で病死したとする声明を出し、その事実を認めた。

ムッラー・ウマルの死がこのタイミングで明るみに出た背景には、二回目のマリー協議が迫る状況下で、同協議とそれに向けたターリバーンの一連の対応が、果たしてムッラー・ウマルの指示の下に進められているのかどうか、一部のメンバーが疑念を抱き、ムッラー・ウマルの生死を問う声が内部で高まっていたことが指摘できる。

実際、後日公表されたターリバーン声明（八月三一日付）によれば、ムッラー・ウマルは二〇一三年四月二三日に死亡したとされるが、その当時、二〇一四年末の駐留外国軍戦闘部隊撤収を控えて、ターリバーンにとっての武力闘争は正に重要な局面を迎えていたために、ターリバーン指導部内でもごく限られた人物だけにその事実が知らされていたという。ムッラー・ウマルの生死に関する様々な憶測が飛び交い、ターリバーン指導部に対して内外からプレッシャーがかかる中、最終的には真相を公にせざるを得なかったものと考えられる。

なお、ムッラー・ウマルの死を受けて、ターリバーンの内部分裂の兆候が垣間見えた。七月三〇日、ターリバーン指導部は、ムッラー・マンスール副指導者（パシュトゥーン人。第一次ターリバーン「政権」元航空・運輸大臣）を後継者に据え、ハイバトゥッラー・アーホンドザーダ（パシュトゥーン人。第一次ターリバーン「政権」元裁判所長官）、並びに、スイラージュッディーン・ハッカーニー（パシュトゥーン人。ハッカーニー・ネットワーク〈ＨＱＮ：Haqqani Network〉指導者）を副指導者に各々任命した。しかし、ムッラー・ヤクーブ（パシュトゥーン人。ムッラー・ウマルの息子）らがこの人事に不服だとして、会議を途中退席したと伝えられた。結果的に、ターリバーン内部の諍《いさか》いは収まったが、分派した勢力も生じるなど、ムッラー・ウマルの死は後のグループの結束に大きな禍根を残した。

もう一つ重要なことは、イスラーム共和国政府が、パキスタンを通じて、ターリバーンに対して交渉のテーブルにつけさせようとの戦略が、結果的に暗礁に乗り上げた点である。アフガニスタン国内では、長らくパキスタン軍部がターリバーンを背後から支援しているとの説が有力とされてきた（後述）。仮にこうした見方に依拠するならば、パキスタンの仲介だけに頼り、同国軍部からの干渉と操作の余地を排除できないことは、アフガニスタン和平の実現に向けて大きな不安要素となることが判明した。

交渉の舞台がカタールに移った背景には、カタール政府の仲介に向けた意欲の高まりの他にも、パキスタンからの影響の排除という側面があった。

交渉の本格化とドーハ合意

三回目に和平協議が動き始めたのは、二〇一八年だった。同年六月一五～一七日のイード・アル＝フィトル（断食明けの祭）に、ターリバーン・イスラーム共和国政府の双方がこの三日間の一時停戦を発表したことで、ターリバーン戦闘員が政府支配地域を訪れ、普段は戦闘相手である国軍兵士や警察官、そして、一般市民と抱擁し、祝意を述べ合う姿が全国で見られた。長引く紛争に辟易とする国民が増える中、和平への機運が徐々に盛り上がり始めた。

融和の兆しが見られる中で、アメリカは「和平交渉を支援し、ファシリテートし、参加する用意がある」とするポンペオ国務長官声明を六月一六日に発出し、それまで強硬的だった対ターリバーン姿勢を軟化させた。アメリカは九月、米国籍を持つアフガニスタン人で、現地情勢に通じたザルマイ・ハリールザードをアフガニスタン和解担当特別代表に任命し、アラブ首長国連邦（UAE：United Arab Emirates）やカタールに同特使を派遣してターリバーンとの交渉に当たらせた。

なお、ハリールザード特使は、ガニー大統領とともに、アメリカンフィールドサービスの高校生交換留学プログラムを通じて、同時期にアメリカに留学した間柄であった。後に触れるドーハ合意に至る過程において、イスラーム共和国政府はアメリカ・ターリバーン間の協議から外されていたが、ガニー大統領はハリールザード特使とのバック・チャンネルを通じて情報を得る努力をしていた。但し、両者は親友というよりかは、ライバル関係にあったという方が実態に近いといわれる。

ターリバーンは、イスラーム共和国政府をアメリカの傀儡と位置づけ、まず交渉すべきはアメリカであるとの立場を堅持した。アメリカの態度の変化は、ターリバーンにとっても望み通りだったといえ、自らの政治的認知を高める機会として政治攻勢を強めた。ターリバーン代表団は、ウズベキスタン、インドネシア、ロシアを訪問するなど、諸外国からの認知を高める努力も怠らなかった。

もっとも、ターリバーンは軍事攻勢の手綱も緩めなかった。同年八月上旬、ターリバーンは中央部ガズニー州に大規模な攻勢を仕掛け、同州中心部を陥落寸前まで追い込んだ。ガニー大統領は、この戦闘による死者の中にパキスタン人が多く含まれているとして、抗議の意味を込めて遺体をパキスタン政府側に送り返した（注：パキスタン軍広報局は関与を強く否定）。パキスタン軍部は古典的な安全保障観に基づく「戦略的縦深《じゅうしん》性」の考え方に即して、インドと対峙した際を念頭に、同国の西方に親パキスタン政府を築き、兵站《へいたん》供給地を確保することに腐心してきたとされる。「戦略的縦深性」とは、前線と兵站供給地との距離の深さを表す軍事用語である。一九四七年にインドから分離独立したパキスタンは、常に仮想敵国としてインドを念頭に置いているが、東西の物理的距離が短いことから都市部や工業地帯への攻撃に対して脆弱《ぜいじゃく》性を抱えており、また自国の西側に反パキスタン政府が成立すると二正面作戦を強いられる点で大きな困難を抱えている。アフガニスタン情勢の陰では、いつもパキスタン軍部の影が見え隠れしていた。

二〇一九年一月にドーハで正式に始まったターリバーン・アメリカ政府間の交渉は、二〇一九年九月までには計九回を数えた。同年九月二日に民放『トロ・ニュース』（独立系）の独占インタビューに応じたハリールザード特使は、第九回の協議を八月三一日に終えた時点で、ターリバーン・アメリカ政府間では、①アメリカ軍撤退、②テロ対策、③アフガニスタン人同士の対話、④停戦、の四つの項目で大筋合意に至ったと語った。

合意の要諦《ようてい》は、アメリカが、ターリバーンが欲するアメリカ軍撤退を約束する見返りに、ターリバーンはアフガニスタンの領土を他国に危害を加えるために使用させない言質を得るというものであった。恒久的な停戦や、イスラーム共和国政府とターリバーンとの間の政治合意は含まれなかった。

ハリールザード特使は、ターリバーンに対して強硬な姿勢で交渉に臨んでいなかった。アメリカ人ジャーナリストのスティーブ・コールは、交渉に同席していたアメリカ人軍高官は、「ハリールザードは単純に取引を成立させることを望み、ターリバーンが求めるほぼすべてのものを与えているように見えた」と回顧している。ハリールザード特使は、ターリバーンに停戦に同意させることなく、ターリバーンからの多数の囚人釈放の要求を受けてガニー大統領に、その要求を呑むよう圧力をかけた。こうして囚人の数は、ターリバーン側に有利になった（Coll, “The Secret History of the U.S. Diplomatic Failure in Afghanistan”）。

この内容で協議はまとまると思われたが、同年九月七日、トランプ大統領は、ターリバーンはアメリカ権益に危害を加えており信用ならないとして協議の一時中断を宣言した。その二日前、アメリカ兵一人を含む一二人が殺害される治安事件がカーブルで発生した。これは、トランプ大統領がターリバーンから交渉の主導権を奪う動きに思われた。

その後協議は再開し、七日間の暴力削減期間を経て、二〇二〇年二月二九日、ドーハにおいて、ターリバーン・アメリカが和平取引、いわゆるドーハ合意に署名した。先述のハリールザード発言から内容自体に大きな変化は見られず、全体としてターリバーン側にとって有利な「取引」であった（**図表3**参照）。

ターリバーンの観点から見れば、二〇〇一年一〇月のアメリカ軍侵攻以来の長年にわたる外国軍の「占領」終結に道筋をつけたことは大きな成果であった。ターリバーンは、ＡＱをはじめとする国際テロ組織に自らの支配領域を使用させないとの一点でのみ負担を強いられた。加えて、カタール政府がホストし、およそ三〇の国・国際機関の代表団が立ち会う中、アメリカと比肩して合意に至ったことは、ターリバーンの政治的ステータスを一挙に押し上げた。同時に、段階的にアメリカの後ろ盾を失うイスラーム共和国政府は、劣勢に立たされることになる。

テロ対策	ターリバーンは、自らのメンバー、あるいは、アル=カーイダを含む他の個人・集団に対し、アフガニスタンの国土を米国および同盟国の安全を脅かすために使用させない。
米軍撤退	締結後135日以内に基地5カ所から兵力を8600人まで削減する。締結後14カ月以内（筆者注：2021年5月まで）に全軍撤退する。
アフガニスタン人同士の対話	相互の囚人交換（アフガニスタン政府がターリバーン囚人5000人を、ターリバーンがアフガニスタン政府囚人1000人を釈放）後、2020年3月10日（筆者注：原文の通り）に開始。協議開始後3カ月以内に、全ての囚人釈放を目標とする。
テロ対策	恒久的、かつ、包括的な停戦はアフガニスタン人同士の対話での議題となる。

※注：非公開の附属文書が存在するとされる。

図表3　ドーハ合意の概要

（出所）アメリカ国務省発表をもとに筆者作成。

アフガニスタン人同士の対話

囚人交換を経て、二〇二〇年九月一二日から、ターリバーン・イスラーム共和国政府間の直接交渉が始まった。当初、三月一〇日から直接交渉は開始される計画だった。しかし、ターリバーンがドーハ合意で約束された五〇〇〇人の囚人の釈放を進めるに当たり、ガニー大統領が難色を示したため、直接交渉の開始は遅延した。

ドーハ合意では、イスラーム共和国政府は囚人一〇〇〇人の釈放を約束されたのみであり、不公平な内容にも映る取引だった。加えて、ターリバーン側の囚人の中には、欧米の権益を攻撃して死刑宣告を受けている者や、大物の麻薬取引人などが多数含まれており、釈放後に治安が一気に悪化する懸念が拭えなかった。

ガニー大統領は自らによる決断を保留し、八月上旬にロヤ・ジルガを招集して決断を委ねることにした。ロヤ・ジルガは、和平協議を進めるため囚人交換に同意した。

こうして直接交渉が開始されることになったが、実際のところ、協議は遅々として進まなかった。ターリバーン側からしてみれば、ドーハ合意は時間の経過とともにアメリカ軍が完全撤退する取引であることから、「時間稼ぎ戦略」を講じれば自らが得をする状況にあった。確かに、双方は、一二月二日、二一カ条から成る行動規範に合意はした。同行動規範では、ターリバーンがスンナ派以外の少数宗派の意見を取り入れ、「もしも交渉中に、シャリーア（イスラーム法）の解釈をめぐる問題が起こった場合、両交渉団から成る合同委員会が決定する」という形で譲歩した。また、イスラーム共和国政府側もドーハ合意に基づき協議を進めることに同意した。

しかし、同行動規範に書かれていることは、本格的な協議を進めるに当たってのプロトコル（礼拝の作法、議事録の取り方、敬意を持って互いに接する、など）に過ぎず、実質的な進展とは見做せないものだった。

あくまでも、イスラーム共和国政府側は、過去一九年間に積み上げた民主主義、基本的人権、法の支配といった自由主義的価値の尊重にこだわり、現行憲法の維持を主張した。ガニー大統領は、民意によって選ばれた指導者の交代をするには選挙しか認められないとの立場を固持した。

一方のターリバーン側は、イスラーム統治の実現を主張し続け、折れることはなかった。クルアーン、および、ハディース（預言者ムハンマドの言行録）を基盤とした原則に基づく統治、司法、社会の実現を標榜した。

すなわち、交渉当事者双方は、今後の国の統治のあり方で折り合うことができない関係を続けた。イスラーム共和国政府の憲法は第一条が「アフガニスタン・イスラーム共和国の宗教はイスラーム教である」と規定する通り、イスラームを国体の基礎に位置づけている。その一方で、憲法では大統領と国会議員の選出は選挙を通じて行われると規定しており、ターリバーンが信徒たちの長の指導の下に国家を運営する統治手法（第二章で詳述）とは大きく異なる。イスラーム共和国政府側は、ターリバーンをそれに取り込む形での決着を想定していたが、ターリバーンはそれを一切認めなかった。

また、双方の間には、法の解釈でも大きな相違点を抱えていた。イスラーム共和国政府側は、欧米を起源とする基本的人権とイスラーム教を折衷した形で権利を定める第二章「国民の基本的権利と義務」章（第二二〜五九条）を有する他、シャリーアの文言は憲法に見られない。一方、ターリバーンは実効支配時代に勧善懲悪省の取り締まりによって、シャリーアを厳密に解釈して適用していた経緯がある。現在はスポーツスタジアムとして使用されるガーズィー競技場で姦通《かんつう》罪と裁定されて女性が石打ちの刑（死刑）に処される光景が国際社会から批判を浴びたことは記憶に新しい。

二〇一九年アジア財団報告書によれば、「あなたはターリバーンに対して、多くの共感、少しの共感がありますか?」との質問に対し、「多くの共感がある」と答えた人は全体の四％、「少しの共感がある」と答えた人は九％しかおらず、全体的に見て国民のターリバーン支持が多いわけではなかった。したがって、こうした憲法規定と国民感情の狭間で、イスラーム共和国政府は妥協を躊躇した。

なお、同報告書によれば、パシュトゥーン人多数地域の南部ザーボル州やウルズガーン州では、ターリバーンに共感すると回答した人は各々五六・一％と五〇・五％も存在するなど、地域によってはターリバーンを支持する人も多かった。ターリバーンはこうした支持を背景に、軍事攻勢も続ける硬軟両戦術を取りながら譲歩を迫った。

直接交渉が進まない背景には、イスラーム共和国側の交渉団に充分な権限が付与されていないこともあった。ターリバーン側はアブドゥルハキーム（パシュトゥーン人。司法委員長でアーホンドザーダ最高指導者に近い）を団長とする二一人の交渉団をカタールに派遣した。その多くはイスラーム法学の知識を持つ者らで、後に閣僚を務めることになる者が多かった。一方のイスラーム共和国側は、マアスーム・スターネクザイを団長とする二一人の交渉団を派遣したが、その中には歴戦の猛者であるムジャーヒディーン元野戦指揮官らは含まれず、その息子たちやテクノクラートが中核を成し、イスラーム法学者や部族長老の顔ぶれはほとんど見られなかった。ガニー大統領としては、自らの信頼できる人物と、国内の民族バランスを考慮しての人選だったのであろう。しかし、ターリバーン側の交渉団と胸襟を開いて話し合える陣容ではなかった。

思い返せば、ガニー大統領は、アフガニスタンの伝統的な部族文化を軽視するような統治手法を講じてきており、そのことがアフガニスタン社会との間で軋轢《あつれき》を生んでいたように思う。男性優位社会であるアフガニスタンにおいて、国防省高官に若い女性を任命したり、前述の通り和平交渉団にテクノクラートを中心に据えたりした。そうした人物らは、英語も流暢で国際社会からの評判もよい。しかし、残念ながら、実際に、交渉相手や部下を前に威厳を保ちながら、現場で即断を求められるような場面で力を発揮できるというタイプの人物らではなかった。英語を上手に操り理路整然と喋るので対話相手に相応しい、といった偏った考えをする国際社会側にも大きな問題があった。

　こうして協議が膠着《こうちゃく》する中、二〇二一年一月二〇日にアメリカでバイデン大統領が就任し、対アフガニスタン政策の再検討を掲げつつもドーハ合意に基づく軍完全撤退を敢行することになった。ターリバーンは、ドーハ合意の非公表の附属文書に基づき、駐留外国軍に対する攻撃を控えつつも、自派が傀儡と見做すイスラーム共和国政府治安部隊に対するジハードを続け、相手を追い詰めた。

　同年八月、カーブルが包囲されゆく危機的状況の中、アメリカはガニー大統領に対し、アブドゥッラーとカルザイ元大統領率いる代表団をドーハに派遣するよう要求した。そして、ターリバーンがカーブルに入城しないとの二週間の猶予期間を設け、その協議で決まったことをガニー大統領が受け入れる方向で調整がされていた。それでも、ガニー大統領は権力を明け渡すことに同意する一方で、後継者選定は選挙を通じてでなければならないとの条件を付した（Coll, “The Secret History of the U.S. Diplomatic Failure in Afghanistan”）。

ハリールザード特使は八月一五日、小さなロヤ・ジルガを通じた権力移行のアイデアを、ガニー大統領の側近に伝えたという。その側近はガニー大統領に対し、ターリバーンはカーブルに入城しない計画だ、と伝えたようだ。しかし、その発言の出元はハリールザード特使とバラーダル副指導者だった。それまで交渉から疎外されていたガニー大統領は、その計画を信じなかった。同じ頃、ガニー大統領の側近であるモヒブ国家安全保障評議会書記は、国外脱出ができないか諸外国の知人に密かに連絡を取り続けていた。カーブルが包囲される状況下、このモヒブ書記と警護隊長からの助言を受け、ガニー大統領とその妻を含む少人数のインナー・サークルの一群は、国民を置き去りにしたまま、ヘリコプターで国外脱出した。イスラーム共和国政府が崩壊した瞬間だった。結局、二〇二一年八月、「祝砲」を上げたのはターリバーンの方だった（本章冒頭で既述）。

包摂的な政権成立に向けて

未完の和平実現に向けて、これまで様々な形で取り組みが行われてきた。アフガニスタンには多様な民族・政治派閥が存在しており、各々が独自の主張を押し通そうとしている。ターリバーンは外国軍の放逐とイスラーム統治の実現を掲げ、自派の立場を崩すことは一度もなかった。一方の旧北部同盟を中心としたイスラーム共和国政府も、ターリバーンはアフガニスタンの「自由と独立」を脅かしているとして、ターリバーン側に譲歩する姿勢を見せてこなかった。

アフガニスタンにかつての平和を取り戻すには、そこに暮らす人々が真に平和を希求し、お互いに一歩譲り合う姿勢が必要である。和平プロセスに関わる当事者自身の中で、前向きな変化が発現しなければ事態の前進は見込めない。したがって真の和平の実現には、紛争当事者双方の内面における変容が必要だ。しかし、命よりも名誉を重んずる民だからなのか、一切の妥協がない。

ただ、それを外部の人間が一方的に批判する議論も、やや乱暴であるように思われる。長期間にわたってアフガニスタンは侵略、内戦、イスラーム過激派の台頭などで混迷を極めた。この過程では、時々の大国や隣国が、各々の利益追求を背景として特定の勢力を背後から支援することが常態化してきた。ターリバーンに反対するアフガニスタン人の多くは、パキスタン軍部がターリバーンを後援しているとして非難する。反ターリバーン勢力のメンバーが用いるソーシャル・ネットワーク・サービスでは、今も#BanTaliban（ターリバーンを禁ぜよ）や#SanctionPakistan（パキスタンを制裁せよ）のハッシュタグが盛況だ。

このような状況を踏まえると、アフガニスタンにおける恒久的な和平に向けては、交渉当事者双方から信頼される第三者が橋渡しする形で、対話を続けることが第一歩になる。未来に一切の明るい展望を描けない中でも、小さな灯りを頼りに、事態の好転を信ずる心だけは、持ち続けなければならない。

コラム① アフガニスタンの地理的条件

アフガニスタンにとって、陸封国、多民族国家、部族社会、および、イスラーム教の四要素は同国の大きな特徴だ。とりわけ、陸封国であるという地理的条件は、同国を地政学的な要衝にさせてきた。

アフガニスタンは、中東と南西アジアと中央アジアの結節点に位置する。隣接国は、東のパキスタン（国境二四三〇キロメートル〈以下、数字同〉）、西のイラン（九三六）、北のトルクメニスタン（七四四）、ウズベキスタン（一三七）、タジキスタン（一二〇六）、そして北東の中国（七六）の六カ国である（鈴木『アフガニスタンと周辺国』、二九頁）。

このような地理的条件にあるため、アフガニスタンは常に大国の干渉と介入に翻弄されてきた。もとより、一六世紀には、西のペルシャにあるサファヴィー朝（一五〇一〜

一七三六年）と、東のインド亜大陸にあるムガル帝国（一五二六〜一八五七年）、および、北のウズベク人が支配するシャイバーン朝（一五〇〇〜一五九九年）との狭間で、現在のアフガニスタン領のほとんどは緩衝地帯に位置づけられた。

一九世紀になると、南下を目指す帝政ロシアと、帝政ロシアの拡張を抑え込みたい大英帝国との間でのグレート・ゲームの舞台となった。大国間の角逐の中、英領インド軍は三度にわたりアフガニスタンに攻め込んだが、いずれの戦争でも陥落させることはできなかった。勇武を愛するアフガニスタン人は、異民族の侵略に対して屈強に対抗した。

二〇世紀後半の冷戦構造の下では、一九七九年のソ連侵攻を皮切りに、それに対抗するアメリカとの間で代理戦争の舞台となった。アメリカ中央情報局（ＣＩＡ）は、パキスタン軍統合情報局（ＩＳＩ：Inter-Services Intelligence）を通じて、ムジャーヒディーン勢力を支援した。この時、対ソ連戦に義勇兵としてウサーマ・ビン・ラーディンが参加しており、アメリカが間接的に同人を支援していたことは有名な話である。

二一世紀に入ると、アメリカ同時多発テロ事件を受けて、その首謀者であるアル＝カーイダの幹部を匿《かくま》っているとして、アメリカがターリバーン「政権」に軍事行動を起こした。「テロとの戦い」の始まりである。この戦争は二〇年続き、敗者であったターリバーンが捲土重来を果たした。

このように、歴史を通じて、アフガニスタンは、大英帝国、ソ連、および、アメリカという時々の超大国と戦火を交えてきた。同国が与えられた地政学条件が、国際関係や政治をも含む運命そのものを形作った。

いうまでもなく、この点は、アフガニスタンと近隣諸国との民族・文化的な近接性、宗派間のネットワーク、言語の広がりなど、現在につながる多面性と重層性をも育んできた。一八九三年に大英帝国の外交官モーティマー・デュランド卿にちなんで「デュランド国境」と呼ばれる、アフガニスタン・パキスタン国境はパシュトゥーン人居住地域を分かつ形で引かれた。このため、パキスタン国内にも、アフガニスタンと同等のパシュトゥーン人が暮らしている。また、アフガニスタン南西部に居住するバローチ人は、パキスタン、および、イランに跨って暮らしている。中央アジアのトルクメニスタン、ウズベキスタン、タジキスタンも、これと同様に国籍こそ違えど、各々の国とアフガニスタンに跨って居住する。

こうした民族的紐帯に加えて、例えばハザーラ人はイランの国教であるシーア派教徒が多く、国境をまたぐ宗派的紐帯も存在している。言語的には、イラン、アフガニスタン、および、タジキスタンの三カ国がペルシャ語圏を形成している。なお、アフガニスタンで最も人気があるスポーツの一つであるクリケットは、インドやパキスタンなど南西アジアからの影響を色濃く受けているものであり、イランや中央アジアには見られない特徴である。

アフガニスタンは、国土の中央部をヒンドゥー・クシュ山脈（「インド人殺し」の意）が縦横し、その大半を山岳地帯が覆う山国（クーヒスターン）だ。その自然環境の厳しさは、そこに暮らす人々の人間関係や、社会構造のあり方そのものにも甚大な影響を与えていることは想像に難くない。客人歓待や庇護を求める者に対しては身命を賭しても守るといった慣習は、遊牧民・半遊牧民の知恵といえそうだ。他方で、女性の貞淑、復讐、集会、聖戦といった考えは、この土地で暮らすに当たって形成された目に見えない「ルール」なのだろう。もっとも、これは機能主義的視座からの説明に過ぎず、これらの掟を無批判に正当化するというものではない。

総じて、アフガニスタンの地理的条件は、同国の歴史や政治や人々の生活など、その多くを規定する重要な要素なのである。

第二章　ターリバーン暫定政権による統治

ターリバーンによる統治の基本的な方針

シャリーアを中心とする政治理念

二〇二一年八月一五日にターリバーンが二〇年ぶりに実権を再び掌握して以降も、その統治の様態は必ずしも明らかではない。この主な理由として、そもそもターリバーン指導部が、目指すべき政治体制についての綱領やそれに類する文書を発しておらず、統治方針を体系的に示していないことが挙げられる。しかしながら、三〇〇〇万から四〇〇〇万人近い人口を有するアフガニスタンにおいて、人民がおしなべて平和と安寧を享受するためには、まずは実効支配勢力であるターリバーンがどのような統治を目指しているのかを精緻に把握する必要がある。

ターリバーンが掲げる政治理念や活動内容に関しては、既にパキスタン人ジャーナリストのアフメド・ラシッドが二〇〇〇年にその著書『Taliban』の中で記述しており、またイスラーム法学者の中田考がターリバーンの掲げる政治思想や組織構成について、『ターリバーンの政治思想と組織』（現代政治経済研究社、二〇一八年）や『タリバン復権の真実』（ベストセラーズ、二〇二一年）などにおいて論考を発表している。

ここでは、アフガニスタンにおけるターリバーン暫定政権期に焦点を当てて、その独自の政治体制と諸政策を中心に説明するとともに、ターリバーンの内部対立の状況を分析したい。これにより、第一次ターリバーン「政権」（一九九六～二〇〇一年）と、反政府武装勢力としてのターリバーン時代（二〇〇一～二〇二一年）を中心とした、これまでの研究の成果に加えて、ターリバーン暫定政権の統治方針と統治の具体的な様態を明らかにする点で意義がある。

なお、ここでは、第一次ターリバーン「政権」と区別するため、二〇二一年九月七日に暫定内閣を発表したターリバーンを、「ターリバーン暫定政権」と表記することとする。なお、ターリバーンは自らを、アフガニスタン・イスラーム首長国と呼称する。現時点で、同暫定政権を政府承認している国は一つもない。また、本章は、ターリバーンが示す立場の説明を試みたものであり、その主張や立場を一方的に擁護するものではない。

ターリバーンが掲げる政治理念が如何なるものかについて、ターリバーン最高指導者や幹部が過去に示した発言から確認することにしよう。二〇〇一～二〇二一年の駐留外国軍が展開していた状況下、ターリバーンは、①外国軍による「占領」の終焉と、②イスラーム統治の実現を大きな目標として掲げた（青木「ターリバーンの政治・軍事認識と実像」、六六頁）。アメリカ・ターリバーン間のドーハ合意（二〇二〇年二月二九日締結）に基づきアメリカ軍が完全撤退したことを受けて、ターリバーンは現在、①を通じて「独立」を達成したので、②を目指す段階にあると認識しているものと推定される。

ハイバトゥッラー・アーホンドザーダ最高指導者（パシュトゥーン人。元裁判所長官）はイスラームの祝祭日に当たる声明において、これらを裏づけるかのような立場を累次示している。二〇二二年四月二九日のイード・アル＝フィトル（断食明けの祭）に際し、アフガニスタンはもはや外国勢力の「占領」下にはない、国を離れたアフガニスタン人はすべて帰国し国の再建に尽力すべきである、恩赦が宣《せん》せられており如何なる者も危害を加えられることはない、国内外の投資家はアフガニスタンに投資して欲しい、アフガニスタンの領土が他国に危害を加えるために使用されることはない、教育、表現の自由、保健衛生などに尽力する、ターリバーン戦闘員は人民を丁重に扱うべきである、といった立場を示した。ここからは、ターリバーン指導部が、アメリカ軍撤退により祖国がようやく「解放」されたと受け止めており、今後はアフガニスタン人同士が手を取り合って国を再建するべきとの方向性を打ち出している様子が看取される。

また、こうしたアフガニスタンが置かれた状況の激変を受けて、アーホンドザーダ最高指導者は二〇二二年七月六日のイード・アル＝アドハー（犠牲祭）の声明において、「アフガニスタン・イスラーム首長国は、イスラームのシャリーアに基づく体制を念頭に、治安改善、発展、および、国の再建に向けて細心の注意を払っている」と記している。

ここで言及されるシャリーアとは、成文法ではなく、アッラー（唯一絶対の神）から預言者ムハンマド（五七〇〜六三二年）に下された啓示であるクルアーンとスンナ（預言者ムハンマドの慣行）の内、人間の行為規範に関わる総体を指す（小杉「シャリーア」、四六六頁：中田『イスラーム法とは何か』、二一〜二三頁：松山『イスラーム思想を読みとく』、一五四〜一五六頁）。つまり、ターリバーンがシャリーアに基づくイスラーム統治を目指している点に変わりはないということだ。

同月九日にカンダハール州で行われたアーホンドザーダ最高指導者の演説でも、全土でシャリーアを適用する方針を示すとともに、イスラーム共和国時代に制定された法律はイスラーム法学者らの監督下に置かれ、シャリーアに沿わない内容があれば当該箇所は除去するとの立場が示されている。同最高指導者は一〇月一三日にも音声声明で、「将来的に一〇〇％

のイスラーム統治を確立することを望む」と述べつつ、「過去二〇年間に各省庁でできた規則をイスラーム法学者が検証し、シャリーアに則していないものはすべて廃止する」と発言した。このように、ターリバーン指導部は、イスラームに則った国づくりの方針を一貫して堅持している（その具体的な様態は後述）。

それでは、ターリバーンは不文法であるシャリーアと、これとは別に近代国民国家法を法典化することとの整合性について、どのような見解を有しているのだろうか。

これについてターリバーン指導部から明確な立場が示されたことは確認できないが、二〇二二年九月四日にターリバーンのアブドゥルカリーム・ハイダル司法副大臣代行が行った発言が注目される。同副大臣代行は、「クルアーン、スンナ、および、その他のイスラーム法学が我々が依拠すべき法であり、アフガニスタンに憲法を制定する必要はない」と発言した（*Tolo News*, September 4, 2022）。第一期ターリバーン「政権」のジャリールッラー・モウラウィーザーダ検事総長も一九九七年のインタビューで、「国家の基本的条件を定めた根本規定はシャリーアである。したがって、我々は憲法を必要としない」と述べている（Rashid, *Taliban*, p.107）。これらから、ターリバーンの政治理念の中心にはシャリーアが存在しており、原則的に、その他の法律を排除する特徴を有することが理解できる。

なお、ターリバーンの構成員の多くは最大民族パシュトゥーン人であり、同派の行動様式が部族慣習法パシュトゥーン・ワリーの影響を強く受けているとの指摘もある。例えば、アフガニスタン専門家の高橋博史は、一九九六年にアメリカ政府の女性高官がターリバーンの最高指導者との面会を希望した際でも、ターリバーン幹部らが「イスラームでは見知らぬ女性に会うことは禁じられている」として、この国家承認に向けて重要な機会を最も若輩の閣僚に対応させたエピソードを語っている（高橋『破綻の戦略』、一四九〜一六四頁）。これは、「ナームース」（女性の貞淑）と呼ばれる考えに基づくものである。部族慣習法には他にも、勇気、避難、客人歓待、復讐、聖戦、集会等々が含まれる（勝藤「パシュトウン族の道徳と慣習」、一〜一九頁）。部族慣習法はパシュトゥーン人が無自覚に日々従う不文律の行動規範のようなものであり、またアフガニスタンには多様な民族が暮らすために公の目標として掲げられない。しかし、ターリバーンの思想と行動様式を理解する上では、この部族慣習法についても考慮される必要がある。

さらに、イスラーム内のターリバーンの思想的基礎として、ターリバーンが属するデーオバンド派の潮流と特徴を押さえておく必要がある。デーオバンド派は、四大法学派の一つハナフィー学派（スンナ派）内のウラマー（イスラーム知識人）集団の改革運動で、インドやパキスタンをはじめ南西アジア地域で主流を成している。

デーオバンド派は、一八六七年に北インドのウッタル・プラデーシュ州デーオバンドから興隆した。当時のインドは、インド大反乱（一八五七年）を経て、ムガル帝国が崩壊し、ムスリムの権威が失墜する危機的な状況に置かれていた。こうした状況の中、クルアーンやハディースを重視するハナフィー学派の教義に従うスンナ派ウラマーのイスラーム改革運動としてデーオバンド派が勃興した。同地に設立されたデーオバンド学院は、イスラームの権利回復を目指しつつ、ウラマーの新しい養育施設として管理・運営された（宮原「デーオバンド派とターリバーン」）。デーオバンド学院のシラバスは、アラビア語とペルシャ語の文法・語源・構文、韻律学と修辞学などの他に、ハディース学、クルアーン注釈学、ハナフィー派のイスラーム法学、イスラーム法理論、ファラーイズ（宗教的義務）など、イスラームの伝統的学問に重点が置かれていた。

一九四七年のパキスタン分離独立を経て、インドのみならず、パキスタン領内でもデーオバンド派が広がりを見せた。布教活動は、一九四五年に設立されたイスラーム・ウラマー協会を中心として行われた。特に、北西辺境州（現ハイバル・パフトゥンフワー州）に開学したハッカーニヤー学院では、後のターリバーン指導者の多くが学び、国境付近のマドラサ（イスラーム神学校）で説法したり、ジハードに加わったりした。

ターリバーンの思想的背景を見る上でもう一つ見逃せないのが、パキスタンのズィアー・ウル・ハック軍事政権下でのイスラーム化政策である。一九七七年にクーデタを挙行し政権を掌握したハック政権は、国内の統治確立に向けて、シャリーアに則った社会づくりを目指した。シャリーア法廷の設置、ハッド刑（イスラーム刑法上の量刑が固定された身体刑）の導入、女性のヴェール着用義務化などがこれに含まれる。ターリバーンは、こうした一九世紀以来の南西アジアにおけるイスラーム化の影響を受けて、厳格なシャリーアの解釈を志向する傾向を身に纏《まと》っていった。

「二重構造」の様相を呈する政治体制

続いて、ターリバーンがどのような政治体制を標榜し、その実態はどのようなものであるかを素描しよう。一九九四年秋頃にムッラー・ムハンマド・ウマル創始者兼初代最高指導者

（パシュトゥーン人）に率いられて南部カンダハールから台頭したターリバーンは、九七年一〇月に「アフガニスタン・イスラーム首長国」の建国を宣言し、九八年頃にはほぼ全土を実効支配下に収めた。同「政権」は、サウジアラビア、アラブ首長国連邦（UAE）、パキスタンの三カ国から承認された。そして、二〇〇一年一〇月、米有志連合による軍事介入によって敗走し、以降は反政府武装勢力として活動してきた。

その当時の統治機構は、副指導者、指導者評議会、高等諮問会議、および中央委員会が、最高指導者を補佐しながら行政を執り行うとともに、軍事委員会をはじめとする各種委員会が業務を担い、地方行政は最高指導者が任命する全国三四州の州知事が行う形であった（**図表4**参照）（中田『ターリバーンの政治思想と組織』、一一六～一二七頁）。二〇一五年七月のムッラー・ウマルの死亡発表を経て、第二代最高指導者ムッラー・アフタル・ムハンマド・マンスール（パシュトゥーン人。元航空・運輸大臣）が後を継ぎ、ハイバトゥッラー・アーホンドザーダ、および、スィラージュッディーン・ハッカーニー（パシュトゥーン人。ハッカーニー・ネットワーク（HQN）指導者）が副指導者に就いた（青木「ターリバーンとアフガニスタン政府の和平協議」、九五～一〇六頁）。後に、アブドゥルガニー・バラーダル（パシュトゥーン人。創設メンバーの一人）が政治担当副指導者に就いている。

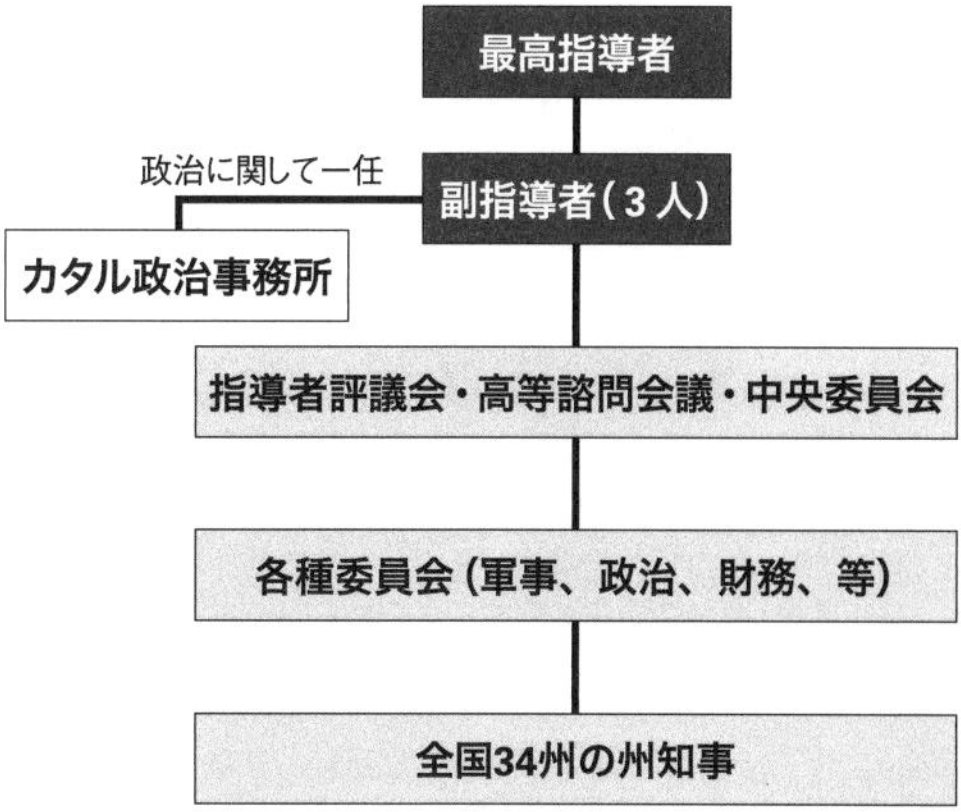

図表4　反政府武装勢力ターリバーン（2001～2021年）の組織構成図
（出所）ターリバーン発表、および、公開情報をもとに筆者作成。

二〇二一年八月の復権以降、宣言こそしていないものの、ターリバーンは自らを「アフガニスタン・イスラーム首長国」と呼称し続けており、その首長に、隷下《れいか》の構成員からアミール・アル＝ムウミニーン（信徒たちの長）と称される第三代最高指導者ハイバトゥッラー・アーホンドザーダが就任している（**図表5**参照）。同最高指導者の下で、ムハンマド・ハサン・アーホンド（パシュトゥーン人。第一次ターリバーン「政権」元副首相）が首相代行を担い、同首相代行をアブドゥルガニー・バラーダル副首相代行、アブドゥルサラーム・ハナフィー副首相代行（ウズベク人。第一次ターリバーン「政権」元教育副大

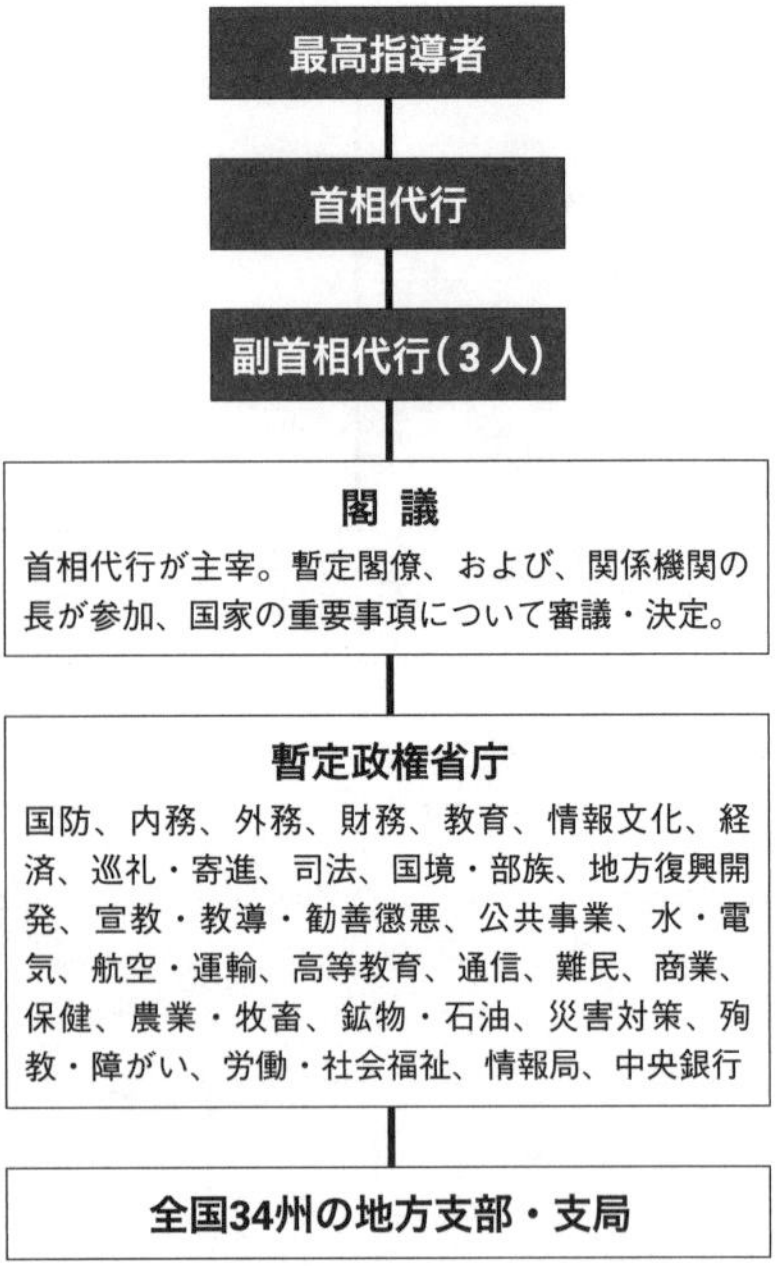

図表5　ターリバーン暫定政権（2021年9月〜）の組織構成図

（出所）ターリバーン発表、および、公開情報をもとに筆者作成。

臣）、および、アブドゥルカビール副首相代行（パシュトゥーン人。第一次ターリバーン「政権」元首相代行）の三人が副官として支える機構となっている。そして、二〇二一年九月七日に発表された暫定内閣の組織構成は、基本的に、同年八月一五日のムハンマド・アシュラフ・ガニー大統領（パシュトゥーン人）の国外逃亡によって崩壊したアフガニスタン・イスラーム共和国の省庁を踏襲する形となっている。

ターリバーン暫定政権では、復権の翌月には女性課題省が廃止され、その建物が宣教・教導・勧善懲悪省に取って代わられた（**写真２－１**）他、二〇二一年一二月にはイスラーム共和国時代に存在した独立選挙委員会、独立選挙不服申し立て委員会、和平問題担当省、議会問題担当省が解体された。また、二〇二二年五月には、人権委員会、国家安全保障評議会、憲法監督委員会、下院事務局、国家和解高等評議会の五つの機構がさらに解体されるなど、ターリバーン指導部

写真２－１　2021年９月、女性課題省の看板を宣教・教導・勧善懲悪省にかけかえる様子

（出所）Twitter@TajudenSoroush (https://twitter.com/TajudenSoroush/status/1438791563258302467) ※SNSで大量に出回った写真

の統治方針を反映して、大きな機構改革が行われた。

現時点で、国体の基礎としての憲法は制定されておらず（注：但し、ザーヒル・シャー国王時代の一九六四年憲法が、イスラームに反する条項を除き、適用されている）、最高指導者、首相代行、閣僚らに付与された権限は明らかでないが、最高指導者が有する権限は非常に大きいと推測される。通常、ターリバーン暫定政権の閣議は、首都カーブルにおいてハサン・アーホンド首相代行の主宰で行われる。しかし、これとは別に、アーホンドザーダ最高指導者は故地カンダハール州で閣僚を集めたジルガ（集会）を主宰する。つまり、**図表5**で示されるような形式だった組織構造とは別に、カンダハールで開かれるジルガが併存するような「二重構造」が存在している。

そこでは、法に従った人民への対応、経済問題の解決、治安機関の対応などの重要事項が関係各所に指示される。実際、二〇二二年三月の女子中等教育再開の撤回は、最高指導者のトップダウンでなされた判断によるものと思われる。最高指導者は、州知事、国防省、情報局、および、司法関係者を集めた会合を折に触れて開き、人民を不当に取り扱うことがなきよう、個別に厳重な指示を出すなどの対応を講じたこともある。最高指導者の発言は、大所高所からの指示事項に留まらず、各省庁の人事にまで及ぶこともあるなど、ターリバーン内で大きな影響力を持っている。

通常、強大な権限を有する最高指導者が公衆の面前に姿を現すことはなく、外部者が最高指導者に直接働きかけをすることはできない。ターリバーン傘下の構成員ですら、最高指導者を目にすることは稀である。こうした現状は、最高指導者に圧倒的な権威を与えるとともに、外部からの変革を妨げる要因になっている。ターリバーンとしては、最高指導者を手の届かない「雲上人《うんじょうびと》」に仕立て上げることで、外部からの影響を制限、ないしは排除する狙いを持っている可能性がある。

また、「外国」による最高指導者への影響を見極めることは、将来のターリバーンの変革を考えるうえで重要である。

なお、ターリバーン暫定内閣の成立に当たっては、それまでの組織構成を踏まえた上で、急に権力を手中に収めて組閣を迫られる中、いわば弥縫策《びほうさく》としてイスラーム共和国政権の機構の多くを活かす形で進められた。この過程では、閣僚としての適性に加えて、それまでの功績への論功行賞の意味合いも考慮されたと見られる。

例えば、国防相代行にはムハンマド・ヤクーブ元副指導者が、内相代行にはハッカーニー元副指導者が就いているが、両名は過去に軍事委員会を率いてきており、カーブルを「占領」から「解放」した立役者としてターリバーン内部では認知されている。ソーシャル・メディアのターリバーンのファン系アカウントで、ヤクーブとハッカーニーはカリスマ的な人気を誇る。この背景には、ヤクーブとハッカーニーが、それぞれムッラー・ウマルとジャラールッディーン・ハッカーニー（ＨＱＮ初代指導者）の息子であり、彼らの系譜を継いでいることがあると考えられる。

つまり、ターリバーン暫定政権の組織構成は、反政府武装勢力としてのターリバーン時代の力関係の延長線上にある間に合わせのものといえ、一般的に「暫定政権」という言葉から連想される政治体制だと額面通りに受け止めることは慎重にするべきである。

イスラーム統治の実現に向かう諸政策

全般的な方針

続いて、ターリバーンが実施する諸政策について詳細に見ていきたい。二〇二一年八月一

- ◆ イスラーム統治の実現
- ◆ 全ての者に恩赦を与える
- ◆ 治安の回復
- ◆ 外交団の安全確保
- ◆ アフガニスタンは他国に脅威を投げかけない
- ◆ 内政不干渉を求める
- ◆ イスラームの教えの範囲内で、女性の権利を保障する
- ◆ メディアは仕事を続けられる。但し、イスラームを傷つけない、中立的であり、国益を損なわないという三つの条件を満たすこと
- ◆ 包摂的な政府の樹立を目指す
- ◆ 長引いた戦争を終結させる
- ◆ ケシ栽培の撲滅

図表6　ムジャーヒド報道官が初の記者会見で示した統治方針（2021年8月17日）

（出所）青木（『タリバン台頭』、114〜115頁）。

五日以降、ターリバーンは様々な政策を発表し施行してきている。全般的な方針を表していると見られるものが、同年八月一七日にザビーフッラー・ムジャーヒド報道官が初めて公に姿を現した際に示した方針と思われる（**図表6**参照）。

　前述の通り、イスラーム統治の実現が目標として掲げられている他、一国の統治主体として外交団の安全確保を掲げたり、イスラームの教えの範囲内で女性の権利保障を認めたりといった立場を示していることがわかる。もっとも、こうした建前とは異なり、後述する通り、ターリバーン戦闘員が実際にはこれらから逸脱した行動に及んでいる点に充分な留意が要る。

3月23日	教育省は、「アフガニスタンの文化と伝統」に反するとして、女子中等教育再開の判断を撤回
5月7日	宣教・教導・勧善懲悪省は、ヒジャーブ着用はイスラームにおける義務であるとして、着用を義務付ける特別法令を発出
11月10日	宣教・教導・勧善懲悪省は、首都カーブルで、女性が公園や公衆浴場に行くことを禁止する通達を発出
12月20日	高等教育省は、さらなる通知があるまで、女子大学生が公私立の大学で教育をうけることはできないとの書簡を発出
12月24日	経済省は、国内・海外NGOに対し、さらなる通知があるまで、女性職員に就労させないよう通達する書簡を発出

図表7　ターリバーンが打ち出した女性の権利をめぐる主な政策（2022年）
（出所）公開情報をもとに筆者作成。

女性の権利をめぐる諸政策

二〇二一年八月～二〇二二年一二月までの間、ターリバーンが打ち出した社会政策領域を中心とした特別法令（**図表7**参照）を見ると、ターリバーンが、とりわけ女性の教育・生活・服装などに関して厳しい制限を加えていることがわかる。

これらの多くはイスラームに基づくとされているが、中には女性の教育・就労の制限など、イスラーム法学者らからも異論が出る指示事項も含まれている。一部のウラマー（イスラーム知識人）らは、もし学校において男女が混合せず、女子生徒がヒジャーブ（頭髪を覆うヴェール）を被るなどの措置が講じられれば、女子教育を行うことはイスラームの観点から問題ないとの見解を示している。他にも、ターリバーンは、女性はクリケットを含む如何なるスポーツにも興じることはできない、シャリーアとアフガニスタン文化の原則に反する映像、社会の秩序を乱す映像、男性の半裸の映像、ヒジャーブを被っていない女性の映像の放送を禁止する、女性は七二キロメートル以上移動する場合にマハラム（女性にとって近親の男性家族構成員）の同伴がなければならない、タクシーの運転手に対して車内で音楽を流さないことやヒジャーブを被らない女性を集客しないこと、などを指示している。全体として、現代世界に一般に流布する社会通念からすれば、女性の自由が著しく制約されたと言い得る社会状況が出現している。

イスラーム共和国政権の否定とパシュトゥーン民族主義に基づく諸政策

もう一つの特徴的な傾向が、イスラーム共和国政権下での諸政策の否定と、パシュトゥーン民族主義に基づく諸政策である。例えば、二〇二一年九月二〇日、カーブルにある公立大学の正式名称が、ブルハーヌッディーン・ラッバーニー大学からカーブル教育大学に変更された。ラッバーニーは、内戦時代（一九九二〜一九九六年）にターリバーンと敵対していた北部同盟の指導者であるため、政治性を有さない名称への変更が決定されたと見られる。ま

写真2－2　パシュトゥー語表記に作り直されるバルフ大学の看板

（出所）Twitter@SaeedullahSafi7 (https://twitter.com/SaeedullahSafi7/status/1571995041694097408) ※SNSで大量に出回った写真

た、イスラーム共和国政権下では会計年度は西暦に基づいていたが、二〇二二年一月にはアフガン暦に変更することが決定された。二〇二二年三月二一日のナウルーズ（アフガン暦新年）の際には、この祝い事がゾロアスター教に由来すると考えられたためか、北部バルフ州で例年行われるハズラト・アリー廟での祝祭は開催されなかった。

　これらと似た事例として、二〇二二年八月、アメリカとその同盟国による「占領」に対するジハードの勝利から一周年の記念日だとして八月一五日が国民の祝日に指定された。二〇二二年九月には、北部バルフ州にあるバルフ大学の看板から、大学を指すペルシャ語（ダーネシュガー）が消され、パシュトゥー語（プーハントゥーン）だけに変更されたことがソーシャル・メディアで拡散した（**写真2－2**）。これを受けて、直ちに、ターリバーンがアフガニスタンの多様性を無視しているとの非難が巻き起こるなどした。特に、少数民族ハザーラ人（シーア派）は、民族や宗派の違いを背景に、ターリバーンから迫害の対象となっている（第三章、第五章を参照）。

メディア活動に対する制限

　ターリバーンは、メディア活動に対する制限も加えている。二〇二二年三月、ターリバーンは、『ＢＢＣ』などの国際メディアの放送を制限することを決定した。同年一〇月には、民放『カーブルＴＶ』が、一〇年間に及ぶ運営の末、閉鎖した。匿名の人物が『アフガニスタン・タイムズ』に述べたところでは、同放送局はターリバーンの実権掌握後に圧力を受けるようになり、閉鎖が決定されたという。また、テレビに出演する女性キャスターらは出演の際に顔をヒジャーブで覆うよう通達を受けている。ソーシャル・メディアへの制限も新たな動きであり、二〇二二年四月、ターリバーンは閣議の決定により、若者を誤った道に導き得るとしてＴｉｋＴｏｋとＰＵＢＧゲーム（韓国発のバトルロワイヤルゲーム）の使用を国内で制限すると発表した。同様に、同年八月、ターリバーンのナジーブッラー・ハッカーニー通信相代行（パシュトゥーン人）は、モラルに反しているとしてウェブサイト二三四〇万ページを閉鎖したと発表した。

司法政策と風紀取り締まり

ターリバーンの恩赦の方針にもかかわらず、イスラーム共和国国軍兵士らに報復行為が見られるなどもした。二〇二二年四月一二日付『ニューヨーク・タイムズ』紙は、ターリバーンが実権を掌握した後、前政権の治安部隊要員五〇〇人以上を処刑したと報じた。この他、強制移住や強制結婚も報じられていることに加えて、姦通罪や窃盗罪に対してハッド刑が執行されている地域も存在する。二〇二二年一一月二三日には、中央部ローガル州で、ターリバーンは「姦淫や窃盗」を理由に、女性三人、男性九人をサッカー・スタジアムにおいて鞭打ち刑に処した。以降も、アーホンドザーダ最高指導者の指示に基づき、ハッド刑やキサース刑（同害報復刑）の施行が各地で確認されており、欧米メディアでは「恐怖政治」の復活と報じられている。

また、ターリバーンは、彼らが考えるイスラームの解釈に基づき、風紀取り締まりも強化している。これまでに、ターリバーン宣教・教導・勧善懲悪省は、南部ヘルマンド州で男性の髭剃りを禁止するよう理髪店に通達した他、中央部ローガル州で一般市民に対して日々の礼拝をモスクでの集団礼拝の形で行うよう要求したり、州内の理髪店に対して男性の髭をイスラームに反して剃らないよう求めたり、また首都カーブルでは美容院や商店に対して、女性の写真を飾らないよう指示したりした。二〇二一年九月には、南西部ニムルーズ州の宣教・教導・勧善懲悪省州支部が、州内のコーヒーショップに対して営業をしないよう通知し、店主らに対して集団礼拝に参加するよう求めた他、ウエディング・ホールで音楽を流すことを禁止するなどした。

農畜産品輸出と投資誘致を念頭とした経済政策

経済状況に目を転じると、カーブル陥落以降、アメリカによるアフガニスタン中央銀行の在外資産約九五億ドルの凍結もあり、アフガニスタン経済は下降線をたどっている。こうした状況に対して、ターリバーンは、大局的な方向性として、経済的自立を目指す方針を打ち出している。二〇二二年五月一四日、アフガン暦一四〇一年度（西暦二〇二二年三月二一日～二〇二三年三月二〇日に相当）の予算案が閣議で可決されたが、その総額二三一〇億アフガニーは国内歳入ですべて賄うことが決定された。これは、イスラーム共和国政府の予算の多くが、諸外国からの援助に依存していたこととは対照的であり、援助依存から脱却しようとの意思が際立っている。

開発予算への充当が想定される歳入確保の手段としては、投資誘致が念頭に置かれている。

二〇二二年一月一九日、アフガニスタン経済に関するハイレベル会合がカーブルで開催され、ターリバーンのハサン・アーホンド首相代行が、ターリバーンは腐敗していたイスラーム共和国政府とは異なるため、諸外国は在外資産の凍結を解除し、外国人投資家はアフガニスタンに投資するようにと呼びかけた。同年六月一八日には、ターリバーンのアブドゥルガニー・バラーダル副首相代行が、国営の「アフガン投資有限会社」の設立を発表し、アフガニスタン人の投資家一三人が二億五〇〇〇万ドルの投資を既に表明しており、国内外からの投資に期待を寄せていると述べている。

また、ターリバーンは、アフガニスタン国内産品の輸出を通じた外貨獲得も目指している。中国は、リチウム採掘に向けて調査団を派遣した他、中央部ローガル州アイナク銅鉱山の採掘権を獲得し、作業再開を計画している。また、ターリバーンは、松の実、アーモンド、ピスタチオなどのナッツ類、果物・ドライフルーツ、野菜、薬草、羊毛等の農畜産品の輸出拡大にも力を入れている。ターリバーンとしては、経済再建策として、農業と鉱物資源に注力している様子である。

経済政策の中で注目される動きが、ケシ栽培禁止の通達である。二〇二二年四月三日にターリバーンのアーホンドザーダ最高指導者は「ケシ、および、すべての麻薬栽培禁止に関する信徒たちの長令」と題する声明を発出し、アフガニスタン全土でのケシ栽培を禁ずる方針を打ち出した。同法令によれば、声明の日付以降、全土におけるケシ栽培が厳格に禁止され、違反者はその作物を廃棄・破壊されるとともに、シャリーアに則って裁かれることになる。また、アルコール、ヘロイン、ハシーシュ等を含むすべての麻薬の使用、輸送、売買、流通、輸出入、製造が禁じられた。

近年、アフガニスタンでは薬物依存症者の数が増加し、同問題は深刻な社会問題となってきた。現代の多くのイスラーム諸国においては、薬物の所持・使用は非合法化されている。前政権との違いを際立たせたいターリバーンにとり、犯罪行為を取り締まり、シャリーアに則り公正で秩序ある社会を築くことは民衆の支持を得るために重要である。ムジャーヒド報道官はパシュトゥー語とダリー語版の声明をまず発表しており、基本的に、ターリバーンはアフガニスタン国民向けにケシ栽培禁止の表明をしたものと考えられる。

もっとも、ターリバーンの公式の立場がどうであれ、実態としてケシ栽培を完全に禁止することが非常に難しいのも事実である。一九九〇年代後半、第一次ターリバーン「政権」が国際社会から厳しい経済制裁を受ける中、麻薬栽培はほぼ唯一の外貨・現金獲得手段として利用された。長らく紛争状態にあるアフガニスタンでは、ケシが今でも最も手軽な換金作物として栽培が続けられている。末端のターリバーン司令官にとってみれば、ケシ栽培禁止を農民に強要すれば強い反発を招くことは必至である。したがって、今次声明の実効性には疑問符が付く。

それでもなお、ターリバーン暫定政権がケシ栽培禁止に踏み切った背景には、アフガン在外資産を凍結する欧米・国際機関に対して、非合法薬物禁止をアピールして、制裁解除につなげようとの意図もあるかもしれない。言行を一致させられるか、今後が注目される。

その他の社会政策

この他にも、ターリバーン暫定政権下では多くの特徴的な政策が取られている。復権直後の二〇二一年九月に西部ヘラート州で、ターリバーン兵士が誘拐犯四人を処刑した上でクレーンで遺体を吊るして見せしめにした案件、ターリバーン情報局が押収したアルコールを河川に廃棄する事案、洋品店がターリバーンからの指示に基づき商品展示用マネキンの首を切断する事案などがさまざま伝えられた。これらは、ターリバーンが自らが目指そうとする理想の社会について、住民に伝えるためのパフォーマンスともいえる。

一方で、これほど早くに権力を掌握できるとは自らも想定していなかったターリバーンが、大きな変化を見せる社会状況に対応しようとする様子も垣間見える。二〇二二年三月一四日、アーホンドザーダ最高指導者は、すべての戦闘員は神の意志に基づいて行動するよう求めるとともに、人民に危害を加える行い、並びに、民族、部族、言語の違いなどに基づく振る舞いを止め、人民に奉仕するよう指示するなどした。同年八月には、アーホンドザーダ最高指導者がバラーダル副首相代行に対し、カーブル市内にいる路上生活者の管理を指示、労働スキルのある路上生活者は生体認証作業で個人情報を登録した後、仕事を付与されるようにした。ターリバーン指導部としては、大義と実態を一致させるべく努力しているのかもしれない。

また、地方では、ターリバーン財務省が、オショル（イスラーム税）とザカート（喜捨）を徴収する計画作成の方針を示した（*Ariana News*, January 16, 2022）他、北東部バグラーン州で農業・牧畜局が農民に対し、収穫物の一〇分の一の半分、すなわち二〇分の一を税として納めなければならないと通達するなど、独自の地方行政を施行しようとする動きも見られた（*Tolo News*, June 1, 2022）。

ターリバーンの内部対立

最優先課題である内部凝集性の維持

現在、ターリバーンは内部対立、並びに、反ターリバーン勢力という課題を抱えており、ターリバーン統治が盤石だと言うことは難しい。元来、ターリバーンは、ムッラー・ウマルを中心とした少人数の「世直し運動」として立ち上がった政治運動だったが、全国制覇の過程で様々な分子が入り込んだ巨大な組織に膨れ上がった（青木『タリバン台頭』、一〇〇〜一二五頁）。再び実権を掌握した現在、ターリバーンは一見すれば順風満帆にも見えるが、内部には複数の対立が存在している。

アーホンドザーダ最高指導者は二〇二一年一一月に、指揮下にターリバーンの意思に反して活動する正体不明の勢力がいるため注意せよとの声明を発出するなど、内部対立が組織の弱体化に向かうことを警戒した言動を示している。これは内部の凝集性を保つことが、ターリバーンが権力を維持するために重要だとの認識の表れだと考えられる。それでは、現在、ターリバーンのような内部分裂の兆候が見られるのだろうか。具体的に三つの事例を提示したい。

いくつかの内部対立の事例

①北部ファーリヤーブ州でのマフドゥーム・アーレム司令官をめぐる動向

二〇二二年一月一三日、北部ファーリヤーブ州都マイマナで、ターリバーン本体がターリバーンのマフドゥーム・アーレム司令官（ウズベク人）を拘束したことに対して、民衆が抗議デモを行った。同司令官は、ターリバーンが北部地域を制圧する際に重要な役割を果たした。ウズベク人が大半の地元民の多くは、アーレム司令官を支持していた模様である。しかし、ターリバーン国防省が、この地元民が支持するウズベク人司令官を拘束したことで、大規模な抗議活動を引き起こした。三日後の一月一六日、同州では、ターリバーンが軍事力を誇示するため兵士にパレードを行わせた（*BBC Fārsī*, January 14, 2022）。

②北部サレポル州でのマウラウィー・マフディー司令官をめぐる衝突

二〇二二年六月中・下旬、北部サレポル州バルハーブ郡で、ターリバーン本体と元ターリバーン司令官のマウラウィー・マフディー・ムジャーヒド（ハザーラ人）との間で衝突が勃発した。マウラウィー・マフディー司令官は、中央高地バーミヤーン州情報局長を務めていたが、ターリバーン本体によって解任されていた。ターリバーン本体の決定に不満を募らせた同司令官は、地元バルハーブ郡に移動、同郡に立て籠もって地元民を動員し、ターリバーン本体に抵抗する姿勢を示した。ターリバーン本体は、ファスィーフッディーン軍参謀長（タジク人）らを援軍として送り込んだ。両勢力は幾度も交渉を試みたものの決裂し、その後、衝突に至り、バルハーブ郡で多数の民間人被害が生じた（二〇二二年六月中旬、筆者によ る複数のハザーラ人からのメールでの聴き取りに基づく）。なお、ターリバーン国防省は、交戦の発生を否定している。二〇二二年八月一七日、ターリバーン本体は、マウラウィー・マフディーがイラン側に逃亡しようとしたところを殺害したと発表した（*Bakhtar News Agency*, August 17, 2022）。

③　サラーフッディーン・アユービー司令官の分派

二〇二二年一〇月中旬、ターリバーンのサラーフッディーン・アユービー司令官（ウズベク人）が、権力の独占と民族差別を理由にターリバーン本体から分派した。アユービー元司令官はカーブルを離れ、北部ファーリヤーブ州に移動し、ターリバーンが包摂的な政権樹立、女性の権利保障、強制移住の禁止などの要求を受け入れるまではターリバーンに協力しない立場を示した。アユービー司令官は、ターリバーンの軍事部門司令官として貢献した実績を持ち、その後、ターリバーン本体から地方復興開発省副大臣ポストを提示されたが、就任を断っていた（*BBC Fārsī*, October 12, 2022）。

将来に向けた不安要素

上記の事例からは、ターリバーン内部に民族的出自に沿った対立が見られ、とりわけ最大民族パシュトゥーン人と、それ以外の民族（ウズベク人、ハザーラ人、タジク人等）との間の緊張関係の存在がわかる（アフガニスタンの民族問題については第三章を参照）。パシュトゥーン人を主体とするターリバーン本体と、少数民族を出自とする人物らとの間の軋轢《あつれき》が深刻である様子を物語っている。

この他にも、ターリバーン内部には、元軍事委員会を中心とした「軍事部門」と、元カタール政治事務所と元政治委員会を中心とした「政治部門」の間に対立が存在する。また、出身地域・部族に沿った対立もある。ターリバーン内強硬派のＨＱＮ構成員らは、南東部の大パクティアー地方出身であり、その多くはパキスタン北西部のハイバル・パフトゥンフワー州にあるハッカーニヤー学院で学んだものが多い。一方、ヤクーブ国防相代行やバラーダル副指導者は、大カンダハール地方出身であり、こうした二大派閥間には目に見えぬ軋轢が存在する（青木「アフガン『タリバン政権』が内部に抱える『路線対立』『部族間対立』」）。

総じて、ターリバーンは民主主義などの欧米起源の政治思想や政治体制を否定する姿勢を見せるとともに、家父長制を基盤とする保守的な土壌を背景に、イスラームの独自の解釈に基づく国の統治の実現を目指す立場を示している。このため、社会の急進的な「イスラーム化」が進み、ターリバーンによって、特に女性の服装、教育、就労などに厳しい制限が加えられている現状が確認された。

また、内部対立も存在しており、これが今後のターリバーンの権力維持にとって不安要素となる。アフガニスタン国内の治安情勢が再び流動化することがあれば、同国へのイスラーム過激派組織の流入が増える可能性もある。その場合、一九九〇年代後半のように、アフガニスタンが再び国際テロ組織の策源地と化す恐れは否定できなかろう。現在も「イスラーム国ホラーサーン州」（ＩＳＫＰ：Islamic State Khorasan Province）による攻撃が、散発的に継続し、治安上の脅威となっている。経済情勢に目を転じれば、カーブル陥落後、国内総生産は一年間で五〇億ドルも急下降しており（UNDP, *One Year in Review*, p.9）、物価高騰、通貨下落、干ばつ、震災などが重なり、深刻な人道危機が人民を襲っている。

コラム②　アフガニスタンの言語事情

アフガニスタンは一四以上の民族が暮らすといわれる多民族国家で、使われる言語も複数にわたる。言語の数を、三二言語とする推計もあれば、四七言語とするものもある（吉枝「資料　アフガニスタンの言語状況」、二〇一一頁）。いずれにせよ、全国の各家庭では、パシュトゥー語、ダリー語、バローチ語、ウズベク語、パシャイー語などなど、複数の言語が話されている。

そういったなかで、行政組織や学校で使われる公用語として、パシュトゥー語とダリー語の二つが定められている。ともにインド・ヨーロッパ語族に属する言語だが、文法は異なる。最大民族パシュトゥーン人が用いるのがパシュトゥー語で、パシュトゥーン人は国境に跨って暮らしているため、パキスタン西部でも用いられる。

リンガ・フランカ（共通語）として機能しているのが、ダリー語だ。ダリー語は、ペルシャ語の方言だとよくいわれる。たしかに文法は同じで、一部単語が異なる程度の違いではある。しかし単語が違うだけだ、と片づけることもできない。会話で伝えようとしても全く通じないこともある。

このコラムでは、共通語として機能するダリー語に焦点を当てて、主にペルシャ語との違いや有名な諺《ことわざ》などについて紹介してみたい。

単語の違い

基本的に、ダリー語とペルシャ語は同じ文法構造を有しているが、使われる単語や発音で異なる部分が多い。例を挙げれば、大学はペルシャ語でダーネシュガー（ダーネシュは「知識」の意）だが、ダリー語ではプーハントゥーン（パシュトゥー語起源）である。また、椅子はペルシャ語でサンダリーだが、ダリー語ではチョーキーとなる。サンダリーは、ダリー語で炬《こ》燵《たつ》を意味する。他によく使う言葉では、車はペルシャ語でマーシーンというが、ダリー語ではムータールという。

このように単語が違うだけであればさほど難しくない気もするが、事はさほど単純ではない。挨拶ひとつとっても、ペルシャ語では「お元気ですか？」を「チュトーリー？」と簡略形で聞くのに対して、ダリー語では「チュトール・ハスティード？」と原型で丁寧に聞く。「ありがとう」も、ペルシャ語では「メルスィー」だが、ダリー語では「タシャクル」と全く違う。ペルシャ語の場合は、簡略化されたり、フランスから取り込んだりした形だ。イラン人からすると、ダリー語は古式ゆかしい感じがするようだ。

ダリー語はまた、英語からそのまま単語を取り入れるケースが多い。例えば、シャワーはペルシャ語でドゥーシュだが、ダリー語ではシャーワルとほぼそのまま使う。ミネラル・ウォーターも、ダリー語ではアーベ・ミネラリー（ペルシャ語ではアーベ・マアダニー）だ。

身近な言葉もかなり違う。大きいを指すボゾルグ／カローン、小さいを指すクーチェク／ホルト、休日を指すタアティール／ロフサティー、渋滞を指すラー・バンダーン／ビールーボール、学校を指すダベスターン／マクタブ、病院を指すビーモーレスターン／シャファーハーナ、数字の二百を指すデヴィースト／ドゥ・サドなどなど、枚挙にいとまがない（ペルシャ語／ダリー語の順）。

面白いのは、胡桃のダリー語の表現で、ダリー語では、チャハール（四つの）マグズ（脳、髄、核）という。一方、ペルシャ語ではゲルドゥ（丸いの派生語）で、割る前の外形から表現する点で違いが見られる。

ほうれん草は、ペルシャ語ではエスフェナージを使うが、ダリー語ではポーラックという。現在のイラン周辺を原産地とするほうれん草が西洋に伝わってスピナッチと呼ばれるようになり、インドに伝わりポーラックと呼ばれるようになったといわれる。アフガニスタンは東からの影響を受けており、イランとアフガニスタンで、東西からの影響が異なることが透けて見える。ちなみに、アフガニスタンではお金の単位のことを口語でルパ（南西アジアの通貨ルピーと同じ）という。

なお、虹のことをダリー語ではロスタムの弓と表現する。ロスタムというのは、フェルドウスィーの叙事詩『王書』に登場する英雄の名なので、そうした歴史上の人物の名を虹に使うという連続性は興味深い。一事が万事こういった具体なので、イラン人とアフガニスタン人が会話すると違和感もあるようだ。

文法構造は同じ、でも……

文法に関しても若干異なる部分があり、ペルシャ語では「書いてください」を「書く」（動詞ヌーシュタン）の語幹を変形させて「ベナウィースィー」というのだが、ダリー語では過去分詞形のヌ（ノ）ーシュタにカルダン（行う）を足して「ノーシュタ・コン」ということが多い。同じ用法はダリー語では多く、「行くことができない」を「ラフタ・ナメタワナム（ペルシャ語だとナメタワナム・ベラワム）」や、「言うことができない」を「ゴフタ・ナメタワナム（ペルシャ語ではナメタワナム・ベゴヤム）」などという。

その他にも、語尾がheの音で終わる時、ペルシャ語では「エ」に聞こえるが、ダリー語では「ア」に聞こえる。ペルシャ語で手紙はナーメだが、ダリー語ではナーマに聞こえる。この音韻変化は語尾すべてに適用されるので、脳内変換することをさらに難しくさせる。

最後に、アフガニスタンでは諺もよく用いられる。「カーブルに黄金はなくてもよいが、雪はなくてはならない」は、同国で山々が天然の水のタンクの役目を果たしていることを語っている。他にも「どれだけ山が高くても、山頂にいたる道は必ずある」（どんなに難しい問題でも、解決策は必ずある）、「ハロワー（甘いお菓子）といくら言っても、口は甘くならない」（口で言うだけでは物事は成就しない、行動することが大切だ）、「一つの手でスイカを二つ持つことはできない」（二兎を追うものは一兎をも得ず）などがある。

身近なもので人生の深遠な問題を示唆したり、真理を突いたりする優れた表現がダリー語にはたくさんある。

第三章 「自由と独立」を求める反ターリバーン運動

多民族国家アフガニスタンの相貌

アフガニスタンの民族構成

アフガニスタンは多民族国家であり、その多様性が豊かな文化を育んできた反面、民族間の対立や軋轢が統治の上では大きな障壁となってきた。二〇二一年八月に崩壊したイスラーム共和国政権の憲法には一四以上の民族名が謳われており、そのいずれもがアフガニスタン人であると定めていた。

国勢調査が行われたことがないことから正確な統計データは存在しないが、**図表8**に示した通り、最大民族はパシュトゥーン人でありその全人口に占める割合は四二％ほどとされる。以下、タジク人（二七％）、ハザーラ人（九％）、ウズベク人（九％）、アイマーク人（四％）、トルクメン人（三％）、バローチ人（二％）、その他（四％）が続く。

前記に加えて、人類学者のルイス・デュプリーは一九七三年の著書『Afghanistan』の中で、ファールスィーワーン、キジルバーシュ、モゴル、キルギス、パミーリー、ブラーフーイー、ヌーリスターニー、クーヒスターニー、グジャル、ジャト・グジ、アラブ、ヒンドゥ

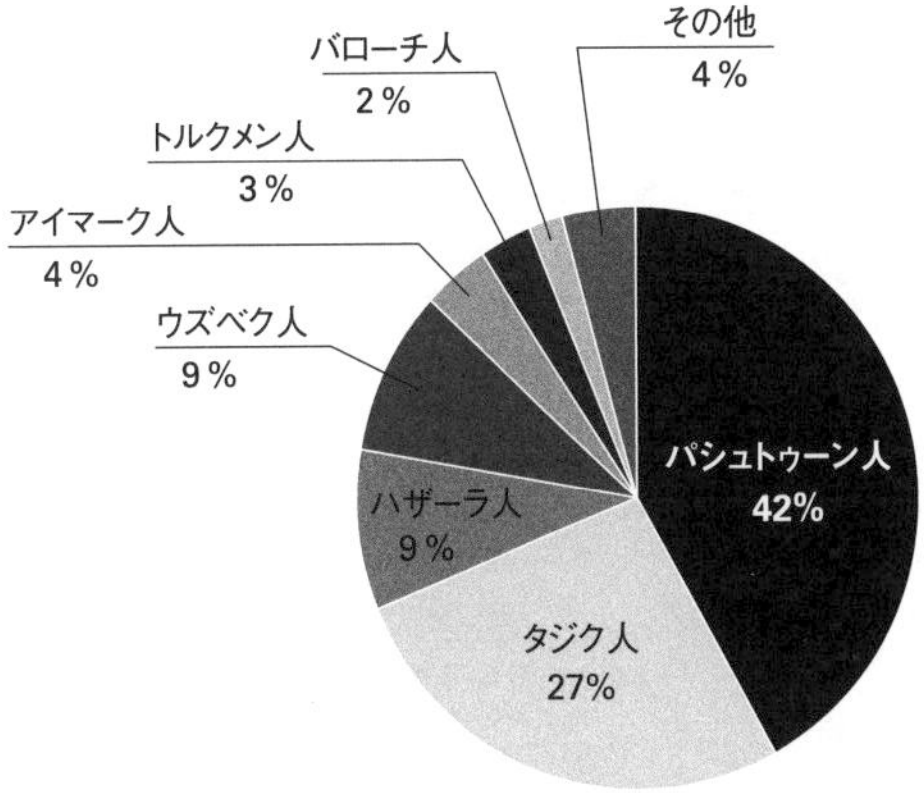

図表8　アフガニスタンの民族比率（推計値）
（出所）Brookings Institution, *Afghanistan Index* をもとに筆者作成。

ー、シーク、ユダヤなどもアフガニスタンに暮らす民族として挙げている。

基本的に、アフガニスタンでは民族問題はタブーとされ、異なる民族が手を取り合って共生する姿が理想であるとされてきた。例えば、私が二〇〇九～二〇一一年にイスラーム共和国政府の地方復興開発省アドバイザーとして首都カーブルで勤務していた時、同省内ではパシュトゥーン人やタジク人やハザーラ人やウズベク人らが、お互いをただ「アフガニスタン人」として尊重し合い、国の復興のためにともに働く姿があった。つまり、民族的出自を理由に差別したり、敵視したりすることは、公的空間では厳に慎まれてきたといってよい。この背景には、多民族が共生する社会こそアフガニスタンの理想だという家庭内教育が、とりわけ都市部の中産階級では一般的に行われてきたことがあると考えられる。

他方で、これはいわば「建前」の話であって、アフガニスタンの近現代史を振り返れば、パシュトゥーン人が歴史を通じてアフガニスタンの支配者として君臨してきたことに疑いの余地はない。この極端なものが、アフガン民族主義、すなわちパシュトゥーン主義と呼ばれるものであり、パシュトゥーン人は他と比して「よりアフガン人」であるとの考えが、そうした勢力の中ではもてはやされてきた（ムーサヴィー『アフガニスタンのハザーラ人』、二七〜三三頁）。事実、パシュトゥー語において、「アフガン」とは「パシュトゥーン人」のことを指しており、狭義の定義において両者は同義ということになる。

その他の民族、例えばタジク人、ハザーラ人、ウズベク人、ヌーリスターン人などは、アフガニスタン研究や歴史の周縁としてしか認識されてこなかった。この見方の延長線上で、残念ながら、パシュトゥーン人の独裁と支配は正当化されてきた。一七四七年のドゥッラーニー朝成立以来、程度の差こそあれ、一九七〇年代までほぼ一貫してパシュトゥーン人への同化政策が取られてきたといえる。パシュトゥー・アカデミーの厳密な監督の下、パシュトゥー語教育の拡充やパシュトゥー文学の興隆に力点が置かれたことも、この一例である。

もっとも、民族単位で物事を見るのは早計である。政治的信条や宗派（ハザーラ人のほとんどはシーア派教徒）、そして地縁・血縁集団のつながりなども考慮することが重要である。また、パシュトゥーン人の中でも異なる部族に枝分かれしている点に留意が要る。パシュトゥーン人は、民族の父と言われるガイス・アブドゥル・ラシッド（五七五～六六一年）の三人の息子ともう一つの別の集団から派生し、ドゥッラーニー族、ギルザイ族、ガルガシュト族、および、カルラニー族の四つに分類される。これらが、さらに異なる氏族に枝分かれしており、いわば樹形図のような構造を成している。

この中でも、パシュトゥーン民族ではドゥッラーニー族とギルザイ族の二つが、歴史的な因縁を背景としてライバル関係にある、有力な部族とされている。この背景には、歴史的因縁が存在する。一八世紀、ギルザイ族のホータク氏族のミール・ワイス・ホータキーは短期間ではあるが、現在のイランとアフガニスタンに跨る地域を治めることに成功した。しかし、ナーディル・シャー・アフシャール（在位一七三六～一七四七年）の台頭により、ホータク氏族は駆逐された。それ以降、アフガニスタン建国の父であるアフマド・シャー・ドゥッラーニーの登場を経て、歴代のアフガニスタン王家はドゥッラーニー族から輩出されることになった。つまり、ドゥッラーニー族とギルザイ族の間にはこうした経緯を踏まえて確執が存在しており、これは現代に至っても完全には消えることがない。

なお、パシュトゥーン人の名称や民族としての起源については、不明な点が多い。いくつかの古典史料にこれらの名称が登場するものの、史料間での同定には困難が伴うため、具体的にいつ頃からパシュトゥーン人という名称が統一されて使用されてきたのかは判然としない。また、非パシュトゥーン人から構成される集落が時を経てパシュトゥーン化した例もあると考えられ、すべての現在のパシュトゥーン人が同じ民族的起源を共有しているという確証もない。ただ、一七四七年のドゥッラーニー朝成立以来、パシュトゥーン人が最大民族として支配的な地位を占めてきたことだけは確かである。

常に存在してきた民族問題

アフガニスタンでは、平穏な時代にあっても民族問題は常に存在しており、内戦時代を経てより深刻になった。「鉄のアミール」と称されたアブドゥルラフマーン国王（在位一八八〇～一九〇一年）の治世下において、既にパシュトゥーン人支配への布石が見られる。同国王は、帝政ロシアと英領インドに挟まれる中で、周辺諸国との国境画定を通じて近代国民国家としての輪郭を整え始めた。並行して、同国王は、国内の敵対勢力の反乱を次々と鎮めることで、アフガニスタンの政治的独立を確たるものにするよう努めた。

一八八六年のギルザイ族の反乱、一八八八年のウズベク人の反乱、一八九一年から九三年のハザーラ人の反乱を平定することで、諸民族を次々と支配下に収め、自らの権力基盤を強固なものにしていった。この過程では、東部カーフィリスターン（「異教徒の地」の意）を平定し、ヌーリスターン（「光の国」の意）と改名し、住民をムスリムに改宗させることで統合を図った。また、敵対するパシュトゥーン人の小集団を、北部や西部に強制移住させることで、謀反を未然に防ぐ対策も講じた。

こうした諸政策の結果、ハザーラ人に代表される少数民族が、従属的な立場に置かれていった。それまで、ハザーラ人はパシュトゥーン王朝に税金を納めることと引き換えに、自治を確保してきた。しかし、アブドゥルラフマーン国王はそれまでの為政者とは異なり、峻険な山岳地帯である中央高地に居住するハザーラ人に脅威を抱き、弱体化させる必要性を感じていた。三年にも及ぶ戦闘を経て、ハザーラ人は敗れ、社会階層の中で底辺に位置づけられることとなった。ハザーラ人にとって辛酸を舐めた時代である。自然環境の厳しさから学校が少ないために教育水準も低く、ハザーラ人は作業現場における肉体労働者として使役させられることとなった（窪田「アフガニスタンにおける周縁民族の統合過程」、二六三頁）。

時代が下っても、民族問題の本質は大きく変わることはなかった。王政時代においても、パシュトゥーン人が為政者として国を統治し、政府・軍高官ポストを占めた一方で、他民族がバーザールでの商業活動、あるいはハザーラ人においては水運びや建設現場の肉体労働者として働く構造自体に変化はなかったといえる。また、内戦時代（一九九二〜一九九六年）、アフガニスタンにおいて国家機能が破綻し無秩序状態に陥る中で、民族ラインに沿う形で、ターリバーンと反ターリバーン連合は争いを繰り広げた。

反ターリバーン運動の展開

ターリバーン復権以降の治安情勢と反ターリバーン運動の見取り図

それでは、ターリバーン暫定政権が発足して以降の治安情勢と紛争の構図はどのようになっているのであろうか。アフガニスタンの治安情勢は、カーブル陥落を経て全体的には回復傾向にある。国連アフガニスタン支援ミッション（ＵＮＡＭＡ：United Nations Assistance Mission In Afghanistan）が二〇二二年七月に発行した報告書によると、二〇二一年一月一日～八月一四日の期間、武力紛争によって民間人七四〇〇人（死者二〇九一人、負傷者五三〇九人）が死傷した。しかし、ターリバーンが復権した二〇二一年八月一五日～二〇二二年六月一五日の期間、民間人の死傷者数は二一〇六人（死者七〇〇人、負傷者一四〇六人）に減少した（UNAMA, *Human Rights in Afghanistan*, pp.9-10）。

このように治安情勢は全般的に改善傾向にあり、これをターリバーンによる功績と呼ぶことが可能である。そうした中でも、反ターリバーン勢力による様々な形での抵抗活動は継続しており、状況は流動的である（**図表9**参照）。

軍事的な武装抵抗活動

まず、反ターリバーン勢力の中で最大勢力は、アフマド・マスード（タジク人。故アフマド・シャー・マスード司令官の息子）率いる国民抵抗戦線（ＮＲＦ：National Resistance Front）である（**写真3-1**）。ＮＲＦは、ターリバーンが二〇二一年八月一五日にカーブルを包囲し、国内が緊張に包まれる中で、マスードやアムルッラー・サーレフ元副大統領（タジク人）らが天然の要塞である中央部パンジシール州の渓谷に武器や弾薬を運び込み、そこを拠点として結成された。以来、ＮＲＦは、ターリバーンはアフガニスタンを侵略する

国民抵抗戦線（NRF）	カーブル陥落後に結成。指導者アフマド・マスード。タジク人主体。中央部、および、北東部を拠点に武装抵抗活動を展開している。
アフガニスタン自由戦線	2022年３月頃結成。指導者ヤスィーン・ズィアー（タジク人。元国防相）。主に元国軍兵士で構成される。散発的に武装抵抗活動を展開している。
アフガニスタン救国のための抵抗高等評議会	2022年５月結成。ドゥーストム（ウズベク人。元副大統領）を中心として、元イスラーム共和国政権高官らが中心となり結成した組織である。
和平と公正のための国民運動	2022年10月結成。指導者はハニーフ・アトマル（パシュトゥーン人。元外相）。ターリバーン暫定政権の違法性を糾弾している。
アフガニスタン公正・自由党	2022年10月結成。指導者はサルワル・ダーネシュ（ハザーラ人。元副大統領）。ターリバーンへの抵抗と連邦共和制成立を目的に活動している。
アフガニスタン解放戦線	ドイツ在住のスレイマーン博士率いる勢力。国外在住のアフガニスタン人が金銭支援。
自由防衛隊	2022年２月頃結成。指導者はドイツ在住のムハンマド・ジャヘシュ。

図表９　主な反ターリバーン勢力の一覧（2022年11月時点）

（出所）公開情報をもとに筆者作成。なお、網羅的なものではない点に留意が要る。

外国の「代理勢力」と糾弾し、真の自由と独立を求めるとともに、ターリバーン支配によってアフガニスタンが再び国際テロの巣窟となることを防ぐため、主に中央部パンジシール州、カーピーサー州、パルワーン州、北東部タハール州、バグラーン州、バダフシャーン州を中心として、政治・軍事の両面で活動を展開している（*The Washington Post*, August 18, 2021）。

ターリバーンは二〇二一年九月六日にパンジシール州を完全制圧したと発表したが、同年末頃から、ターリバーンとＮＲＦとの間の交戦が報じられるようになった。特に、激しい戦闘が見られるのがパンジシール州とバダフシャーン州である。パンジシール州では、戦闘が激しさを増す中、ターリバーンのアーホンドザーダ最高指導者が二〇二二年八月、アブドゥルガユーム・ザーキル（パシュトゥーン人。元軍事委員長）をパンジシール州方面の総司令官に任命した。戦闘は止まず、二〇二二年九月中旬には、双方が異なる戦果を

写真３‐１　アフマド・マスード

（出所）Wikimedia Commons(https://commons.wikimedia.org/wiki/File:Ahmad_Massoud.jpg)

発表するなど、事態は混迷の様相を呈した。九月二〇日、ターリバーンは新しいパンジシール州知事に、ムハンマド・モフセン・ハーシミー（元内務省治安副局長）を任命しており、NRFが拠点とするパンジシール州を警戒する姿勢を見せている。

北東部バダフシャーン州でも、NRFとターリバーンとの交戦は、日を追うごとに激しさを増した。二〇二二年九月二六日、バダフシャーン州の四郡で、ターリバーンとNRFとの間で交戦が発生し死傷者が生じた。地元民によれば、ターリバーン側の司令官数名がNRF側に寝返ったことで、交戦が勃発した。同年一〇月四日には、NRFが、バダフシャーン州シェカイ郡を陥落させ、ターリバーンが派遣する郡知事を拘束したと発表（注：ターリバーン側は否定）するなど、戦闘は地域的広がりを見せた。

こうしたNRFの弛まない武装抵抗を受けて、翌々日の一〇月六日、ターリバーンは、アマヌッディン・マンスール空軍司令官をバダフシャーン州知事に任命するなど、同州も警戒対象地域に加えるそぶりを見せた。一〇月一〇日には、サレポル州バルハーブ郡制圧時に見られたように、ターリバーン本体はファスィーフッディーン軍参謀長をバダフシャーン州に派遣し、第二一九軍団を激励するなどした。ターリバーンは、パンジシール州とバダフシャーン州におけるNRFの動向に最大限の注意を払っている。

この他にも、軍事力を用いた武装抵抗活動をしている集団に、「アフガニスタン自由戦線」、「アフガニスタン解放戦線」、「自由防衛隊」などが存在する。しかし、これらの勢力による攻撃は、ＮＲＦに比して格段に少なく、アフガニスタンの軍事情勢全体に影響を及ぼす可能性は、現時点では低いといえる。

政治的解決に向けた取り組み

反ターリバーン勢力は、軍事的側面での抵抗活動のみならず、ターリバーンとの交渉を通じた政治的解決も志向する立場を見せている。前述の通り、ＮＲＦは戦場で激しくターリバーンと対立する一方、二〇二二年一月にイラン仲介でターリバーンと交渉を行った。一月八〜一〇日、ターリバーンのアミール・ハーン・モッタキー外相代行（パシュトゥーン人）率いる一団はイランを訪問していたが、滞在中、イランの仲介によりターリバーンとＮＲＦは少なくとも三回にわたって会合を持った。政治・軍事両面で、ターリバーンと反ターリバーン勢力が事態の解決に向けて取り組んでいる。

また、トルコを舞台として、アブドゥルラシード・ドゥーストム元副大統領（ウズベク人）が主導する形で反ターリバーン勢力を結集する動きも見られた。二〇二二年五月一七日、反ターリバーン勢力の集会がアンカラのドゥーストム元副大統領邸で行われ、アター・ムハンマド・ヌール元バルフ州知事（タジク人）、アブドゥラブ・ラスール・サヤーフ元野戦指揮官（パシュトゥーン人）、ムハンマド・モハッケク国民統一党首（ハザーラ人）らが参加した。参加者らは、「アフガニスタン救国のための抵抗高等評議会」を結成することで合意した。その後も、この評議会は、カーブル陥落から一年目に当たる二〇二二年八月にオンライン集会を開いた他、翌九月には、国連人権委員会に対して、ターリバーンが甚大な人権侵害を行っていると糾弾する書簡を提出するなど、ターリバーン包囲網を形成する動きを見せた。

もう一つの特筆すべき動きとして、元イスラーム共和国政権高官による政党結成の動きがある。ムハンマド・ハニーフ・アトマル元外相（パシュトゥーン人）は二〇二二年一〇月一六日、「和平と公正のための国民運動」を設立し、オンライン集会を開いた。集会において、アトマル元外相は、現下の最大の問題はターリバーン政権の違法性であり、国民の意思に基づく国づくりが重要だと述べた。また、二〇二二年一〇月二四日、サルワル・ダーネシュ元副大統領（ハザーラ人）は、「アフガニスタン公正・自由党」を結党した。同政党は、ターリバーンへの抵抗と連邦共和制の成立を目的とすると発表した。「アフガニスタン公正・自由党」率いるダーネシュ元副大統領は、アフガニスタンに連邦共和制の導入を問う住民投票の実施を目玉に据えて、反ターリバーン勢力の結集に向けた政治的動きを見せている。

異なる「自由と独立」の衝突

このように様々な集団が反ターリバーン勢力の結集に向けた政治的動きを活発化させており、今後の政治・軍事情勢は予断を許さない。アフガニスタンは多民族国家であり、あらゆる民族や政治派閥を包摂した政治体制の成立が、国の安定のためには待たれる。しかし、現時点において、民意を反映した包摂的な政府は樹立されていない。二〇二二年六月三〇日～七月二日の三日間、カーブルで「ウラマー大会議」（ウラマーは「イスラーム知識人」の意）が行われ、これが伝統的な問題解決手法であるロヤ・ジルガのように、民意を反映する場になるかと期待された。しかし、同会合は、参加したウラマーらがイスラーム首長国への忠誠を誓う「官製会合」に過ぎなかった。

包摂的な政府成立の実現に向けて、大きな障壁となっているのが、異なる「自由と独立」の衝突である。ターリバーンは、アメリカをはじめとする外国軍を「占領者」と考え、政治・軍事的手段を用いた抵抗を続け、遂にアメリカ軍を完全撤退に追い込んだことで祖国が

「解放」されたと捉えている。
その一方で、反ターリバーン運動を代表するNRFは、これとは異なる立場を示し、命懸けでターリバーンへの抵抗を続けている。NRFが二〇二二年八月に、カーブル陥落から一年目に当たって発表した活動基本方針には、その目的について次のように記されている。

過去三〇年間に及ぶターリバーンによる犯罪的な行いは、我々の国を国際テロ組織の安息地にし、外国人による介入の原因になった。ターリバーン集団はシャリーアと国家の法についての一切の根拠もなく、国家を力、暴力、圧制、殺害、脅迫によって占領した。また、同集団は、人民の支持、宗教、法、道徳、国際的な正統性を一切有さない強奪者であり占領者である。この集団は反乱勢力であり国を占領しており、同集団による如何なる権力の行使も違法である。このため、我々（注：NRFを指す）の義務は、我々の人民の命と財産、国家主権と領土保全を防衛することである。

したがって、人民を抑圧、拷問、窒息と囚われの身から解放するため、この残酷で侵略的な代理勢力且つテロ組織への抵抗を、宗教、国家、歴史的な必然と考える。

> 国民抵抗には、占領と抑圧と侵略に対する、政治、軍事、社会、文化的な奮闘努力が含まれ、防衛、自由、公正、および、人民の意志に基づく体制の構築のために形成されるものである。
>
> (Jobhe-e Moqāvemat-e Mellī-e Afghānistān, *Khotūt-e Asāsī*, August 2022)

反ターリバーン運動側は、ターリバーンは外国による代理勢力と考えており、アフガニスタン人民の「自由と独立」を侵害していると見做している。そして、ターリバーンによる抑圧と迫害に抵抗すべく、あらゆる領域での抵抗を継続する決意を示している。ターリバーン側の観点とは、正反対の立場だ。このような強硬な立場を示す紛争当事者双方から、どのようにして妥協や譲歩が引き出され得るだろうか。事態に悲観的にならざるを得ない。

ターリバーンの立場も、反ターリバーン勢力の立場も理解し得るものである。ターリバーンの主張や諸政策を一方的に擁護することは不可能だ。しかし、九〇年代に国内が混乱状態に陥った際、イスラームを錦の御旗に掲げて「世直し運動」として勃興したターリバーン運動を、アフガニスタン現代史における一政治勢力としては認めざるを得ない。それにもかかわらず、ボン合意ではターリバーンを排除する形で新体制が構築された。ターリバーンは「反政府武装勢力」として外国軍とイスラーム共和国政府軍による軍事行動における掃討の対象とされ、多くが殺害され、拘束された者は刑務所に送られ、拷問を受けた。復権したターリバーンが、イスラーム共和国政府軍を敵視するには理由がある。

一方で、ターリバーンの独自の解釈によるイスラームに基づいた諸政策は、多様性を否定し、とりわけ少数民族や女性などの社会的に弱い立場に置かれた人々の権利を抑圧していることも否定できない事実である。前述のＮＲＦの立場を見る限り、反ターリバーン勢力の主張にも正当性がある。

このように考えると、二〇二一年八月一五日、カーブルがターリバーンに包囲された時点で、アシュラフ・ガニー大統領（当時）が国外逃亡を図ったことが改めて悔やまれる。ウクライナのゼレンスキー大統領のように、あの時、ガニー大統領が大統領府に残る選択をしていたならば、アフガニスタン・イスラーム共和国とターリバーンとの間で何らかの政治合意が結ばれ、歴史は変わっていたかもしれない。最大の和平の機会が失われ、ガニー大統領は歴史に汚名を刻んだ。

ターリバーンが実権を握る中で、双方の勢力均衡がどうなるのかは、今後の趨勢《すうせい》に影響を与える。現状、反ターリバーン勢力の指導者のほとんどすべては国外に退避しており、戦場で陣頭指揮を執っているわけではない。一方のターリバーンは国土のほぼすべてを実効支配しており、圧倒的な軍事的優位にある。

また、二〇二二年一〇月にドーハで行われた会合において、アメリカ代表団はターリバーン代表団に対し、NRFを含めて、アフガニスタンで活動する如何なる非国家主体も支援することはない旨を約束したと報じられている（*Al Jazeera*, October 17, 2022）。カーブル陥落によって国際的非難を集めたアメリカ政府にとって、アフガニスタン問題はアメリカの威信を傷つけた前例の一つとなっており、少なくとも今後しばらくは、本腰を入れて取り組むべき優先事項とはならないだろう。欧州諸国にも、反ターリバーン勢力に対して軍事的支援を行う機運は見られない。

こうした全体的な状況に鑑みれば、反ターリバーン勢力が充分な資源（戦闘員、武器、資金）を獲得し、彼らが望むような体制転換を実現させることには、本稿執筆時点では、大きな疑問符が付くといわざるを得ない。

コラム③　アフガニスタンの人間関係と社会構造

一度でもアフガニスタンに訪れたことがある人であれば、その「おもてなしの心」を思い起こさずにはいられないだろう。アフガニスタン人として生まれたからには、客人に対して誠心誠意尽くしてこそ生きる価値がある。そのように心の底から思っていると感じざるを得ないほどに、アフガニスタン人の客人歓待ぶりは特別だ。

私はアフガニスタン滞在中に幾度も友人の邸宅に招かれて食事をしたことがあるが、客人に対する扱いは丁重そのものだ。客間に通されて、赤銅色の絨毯の上にひとたび胡坐《あぐら》をかければ、あとは手洗い用の水が主人の子どもによって運ばれてきて、豪勢な食事が供され、食後にはフルーツとお茶がふるまわれることになる。地方部に行けば、その歓待ぶりはさらに手厚い。中央から政府高官が来るとなれば、羊や山羊を一頭屠《ほふ》って供することも稀ではない。

このような特徴的な人間関係を持つアフガニスタン社会だが、では日常生活において互いに敬意と感謝を示し合いながら、いつも笑顔で平和に共生しているのかと問われると、ちょっと感触は異なる。客人歓待はあくまでも友人に対する「ヨソ」の顔で、「ウチ」の顔は違うように思われることが多々あるからだ。実際、客人が主人の家の客間以外に通されることはほとんどないといってよい。つまり、親しい間柄の中にも、どこか「壁」を感じるのも事実だ。

以下で、アフガニスタン人と付き合う中で、日本人の私が違和感を持った出来事を三つほど紹介し、アフガニスタンの人間関係と社会構造を考察する材料にしたい。

一つ目は、道路が渋滞状況にあるときの出来事だ。私がアフガニスタン政府省庁に勤めていた時（二〇〇九～二〇一一年）、首都カーブル南西部にある庁舎まで、省庁が提供する政府車両ナンバー付の車両で、他の同僚たちとともに通勤していた。朝夕の通勤時間帯、道路は非常に混雑するのだが、その時の運転手による他の運転手に対する態度といったら、それは他人に対する思いやりとはほど遠く、敵意と憎しみに満ちたものであった。繰り出されるのは罵りの言葉ばかりであった。それを見るにつけ、「これがあのアフガニスタン人なのか」と、なんとも釈然としない感情を覚えたものだ。

近親の家族や親戚や親しい友人を「ウチ」の人として丁重に付き合う一方で、その狭いサークルの外側の人間を「ヨソ」の人としてぞんざいに扱う人間関係は、例えば日本社会でも見られるものであり、決して珍しいものではない。家父長制を踏襲する社会においては、「家（イエ）」を重視することの反動で、そのネットワークの外側にいる人に対しては冷淡な反応が表れるのだろう。これは、雇用関係においてもそうで、アフガニスタンでは、日本と似て、家族主義的経営が行われる。「従業員は家族のようなもの」といった感覚は、社会に埋め込まれた構造に起因する部分が大きい。この点は、アフガニスタンにおける人間関係の大きな特徴であるように思われる。

二つ目は、二〇一四年四月に公共事業省の副大臣が誘拐された際に、多くのアフガニスタン人が示した反応である。日本に帰国していた私は、この報をニュースで知り、ソーシャルメディア上でのアフガニスタン人の反応を眺めていた。私は、多くの人々は、自国の政府高官が武装勢力に誘拐されたのだから、それを心配する声や犯人を非難する声が上がるものと考えていた。しかし、実際のところ、書き込まれていた内容の多くは、「政府は自分たちの高官すら守れないのだから、一般国民の治安を確保できるわけがない」といった冷ややかな反応だった。

私にとってこれはやや意外だったが、よくよく考えてみると、日本でも批評家や知識人が政府を皮肉とともに批判したり、冷笑的な批評をしたりすることで国民の留飲を下げる場面は見られる。そう考えると、ブラックジョークともシニカルな笑いともとれる右の反応も納得できるような気がする。そして、このような政府と国民との間の遠い距離感、換言すれば国民が「相手にされていない」と感じて政府を皮肉る関係性は、アフガニスタンでは通史的に存在してきたものである。

三つ目に、多くのアフガニスタン人が時折示す、アフガニスタン国内の問題に外部者は口を出すな、という反応である。これは、政治面では「内政干渉を極度に嫌う」ことにつながり、生活面では「独立自尊の民」であることへの自負につながる。一例を挙げれば、二〇二二年一二月二四日、ターリバーン指導部が、国内外の非政府組織（NGO）に女性が勤務することを停止する通達を出した際の、ターリバーンとアメリカ政府高官とのやりとりがある。

翌二五日、アメリカのデッカー臨時代理大使は、アフガニスタンに対して人道支援をする国の代表として、ターリバーンは女性と子どもたちが飢餓に陥ることに説明責任があるとツイートし、女性のNGO勤務を停止したターリバーンを批判した。これを受け翌二六日、ターリバーンのムジャーヒド報道官は、「アフガニスタンにおいて活動を希望するすべての組織は、我が国の規則に従う必要がある」と反応し、「アメリカ政府高官は我々の内政問題への干渉をやめよ」と警告した。

デッカー臨時代理大使は、現代西洋諸国で一般に流布する考えの下、すべての女性が就労の権利を制限されるべきではないとの立場を主張したのだろう。これに対して、ターリバーンは、外部者（アメリカ人）がアフガニスタンの内政に立ち入ったと受け止めたのである。アフガニスタン男性は一般的に、「我々の女性は、我々の名誉である」と考えている。家父長制を基盤とする非常に保守的で男性優位のアフガニスタン地方社会では、女性の貞淑を守ることが、男性の名誉を守ることに直結している。このため、女性をヴェールで覆い無用なトラブルが起こることを避け、男性が他人の女性家族構成員について関心を払うそぶりを見せることすら厳に慎まれる慣習が存在してきた。つまり、ターリバーンは、外部者がアフガニスタン女性の問題に言及したことが、アフガニスタン男性の名誉を傷つけたと捉えたのだろう。すなわち、アフガニスタン社会には、固有の内在的な論理が存在するということだ。

以上、簡潔ながら、アフガニスタンにおける人間関係をめぐる三つの事例を見てきた。「ウチ」と「ヨソ」の区別、政府高官と衆生《しゅじょう》の人々との間の途方もない距離、そして外部者からの内政干渉に対する激しい反応といった事例群は、私たちがターリバーンが実効支配するアフガニスタンと向き合う上で、多くの教訓を提示している。とりわけ、現在、ターリバーンはイスラームに反すると思われるほど、女性の教育・就労に対して厳しい制限を課している。これらのターリバーンの主張を一方的に認めることはできないが、何故そのようなことが起こるのか、を理解することは問題解決への糸口を見いだすための第一歩である。

第四章
激変する社会

対談：安井浩美 × 青木健太

安井浩美（やすいひろみ）

編集者やカメラマン、海外旅行の添乗員をしながら、一九九三年から内戦下のアフガニスタンを取材。二〇〇一年に移住し、共同通信社カーブル通信員として働く傍ら、女性や子どもの支援活動にも取り組む。二〇二一年八月一五日、ターリバーンによる首都カーブル陥落後、アフガニスタンから自衛隊機で脱出した唯一の日本人でもある。

※本対談は二〇二二年七月一九日にＺｏｏｍを通じて行いました。

安井さんと青木さんの関係

編集部　インターネットは普通につながるんですね。

安井　とりあえずつながりますね。ただ、停電が突然起こるんです。もし切れたとしても、五分後ぐらいには復旧しますので心配しないでください。

編集部　承知しました。ではまず、お二人のご関係から話を始めていただいてもよろしいでしょうか。青木さんからお願いします。

青木　私は二〇〇五年から二〇一三年まで、七年間ぐらいカーブルにいました。ＮＧＯの職員として働き始め、その後、アフガン政府のアドバイザーを務めてから日本大使館の政務班に移りました。私が赴任した当初から安井さんは現地にいらして、日本人を含めて、知らない人はいないという方でした。仕事でもお世話になりましたが、ホテルとレストランの経営もされていて、食事にうかがったり、デリバリーで運んでいただいたりもしました。

現地での豊富な取材経験に加え、ご自身でアフガンの女性の雇用を創出して、経済的な自立を草の根で支えてもいらっしゃいます。私が帰国してから、大学にお招きして、講演会をしていただいたこともあります。

さらに言えば、私の妻（編集部注：特定非営利活動法人Reach Alternatives＝ＲＥＡＬ

ｓ代表の瀬谷ルミ子氏）は、迫害を受け命を追われるアフガン人——ジャーナリスト、女性活動家や芸術家など——の国外退避支援などをしているのですが、過去にアフガニスタンで外交官として勤務していた頃から安井さんと連絡を取らせていただいていると聞いています。このようにさまざまな形でお世話になっております。

編集部　ありがとうございます。安井さんから補足がございましたらお願いします。

安井　私はいつもなれなれしくケンちゃん、ケンちゃんと呼んでいます。ＪＣＣＰ（編集部注：日本紛争予防センター。現在の名称はReach Alternatives＝ＲＥＡＬｓ）の時より、日本大使館にお勤めになっているときのイメージが強くて、ことあるごとにお目にかかっていました。何かあると相談して、私の方こそお世話になりました。

編集部　ありがとうございます。安井さんは二〇二一年の八月二七日にカーブルを離れられて、その後はずっと日本にいらっしゃったんですか？

安井　いえ。自衛隊機でパキスタンのイスラマバードに移ったのですが、一カ月ぐらいで戻るつもりだったんです。帰ろうと思えば帰れたんですが、周りが大騒ぎで、そんなに早く帰らないでみたいな雰囲気になっていて、結局、三カ月後の一一月にカーブルに戻りました。その後、年末年始に休暇をもらって、日本に帰国し、すごく久しぶりに日本でお正月を過ごして、また戻りました。

編集部　日本に戻られなかったのは、いろいろな支援活動を行われていたからでしょうか？

安井　支援活動というよりは、アフガニスタンの近くにいたかったんです。何かあればすぐに戻れるように。一番近いのはイスラマバードですからね。共同通信の支局もイスラマバードにあるので、そこに住み込んでずっと仕事をしていました。

女子校閉鎖の現状

編集部　最初に、日本でも大きな話題になっています、ターリバーンによる女性への人権侵害の現状についていろいろお聞きできればと思います。

二〇二二年になってから、女子中等教育への制限、ヒジャーブ着用義務化が進んでいるということですが、このあたりは粛々と行われているのでしょうか？

安井　ターリバーンの中には、考え方の違うグループがいくつかあります。穏健派、強硬派、どっちでもいいみたいなグループがあって、それぞれ言うことが違います。最終的に今のような強硬な形になっているのは、ターリバーンのアミール・アル＝ムウミニーン（信徒たちの長）のムッラー・ハイバトゥッラーが決断を下したからです。中学と高校の女子校は一〇カ月、三〇〇日以上閉まっています（二〇二二年七月当時）。

ただ、ターリバーンがアフガニスタンを掌握した時に、地元ターリバーンが統治していた村はなんら変わっていなかったんです。女の子はずっと中学、高校に通い続けていたんですよ。だけど都市部や、過激なターリバーンのグループがいる地域は全部閉まっていて、未だに再開されていない。だからすごくばらつきがあります。

なので、ターリバーンがすべての学校を閉鎖しているのかといわれれば、そうでもない。そこがすごくトリッキーでわかりにくい。

先ほども言ったように、ターリバーンの中にはいろいろなグループがあります。母体はパシュトゥーン人なんですが、それ以外にウズベク人、タジク人、ハザーラ人もいます。そしてパシュトゥーン人は横のつながりがほとんどない。パシュトゥーン人の中には氏族があるんですが、氏族同士で協力してことをうまく運ぼうという感じが全くないんです。パシュトゥーン人同士で何か話をすると敵対して、銃が出てきて戦闘も起こっている。彼らも馬鹿じゃないから、そうならないように、パシュトゥーン人が話し合いをしなくてもいいように考えているんです。

だから、ターリバーンの言っていることがすべて現実に反映されているとは言い切れず、中ではいろいろなことが起こっているというのが現状です。

ヒジャーブ着用義務化について

安井　ヒジャーブは、いわゆるヘッドスカーフで、頭を隠すものという意味があります。お祈りの時に髪の毛が出てはいけないので。ところが、ターリバーンはヒジャーブをニカーブやブルカに置き換えてしまっている。ニカーブというのは、目の部分だけが開いている黒い被り物で、サウジアラビアなどでけっこう使われています。ブルカはアフガニスタン特有で、一枚の布で全身を覆うマントのようなものです。

実はコーランのどこにも顔を隠せとは書かれていません。ニカーブもブルカも出てきません。アフガニスタンの宗教指導者に聞いても、おかしいと言っていました。被りたい人が被るのはいいのですが、それを強制するのはおかしいと、みんなが声を揃えて言う。

ターリバーンのポスターに、ニカーブとブルカが描かれていて、ヒジャーブは殉教者の赤い血よりも美しい、みたいなことが書かれているんですが、あのポスターは変えるべきだと内部でも何回も言われているのに聞かない。

こういうおかしなことがある度に、私は、勧善懲悪省の報道官を訪ねて取材をします。今回も、ヒジャーブとニカーブとブルカの写真を持っていって、違いを教えてくれと訊きました。すると、ニカーブとブルカの写真に対して、「これがヒジャーブとブルカだ」と言う。どう見てもニカーブとブルカなのに、報道官はヒジャーブとブルカだと言い張る。だから結局は、ニカーブを被れということなんですが、それはコーランのどこにも書かれていない。

彼らもわかっているんですが、アミール・アル＝ムウミニーン（信徒たちの長）の通達だから守らないといけないというのがポイントで、すべてが最後はそこに行く。

女子教育も、宗教的に認められないから閉まっているのかというと、そんなことはない。勧善懲悪省としては、女子が教育を受けることは全く問題がないと考えている。教育省も同じです。そして「これは貴方にだけ言う」と前置きして、ターリバーンの最高指導者（アミール・アル＝ムウミニーン）が許可を出さないから学校を再開できないと言うんですね。

そこで、なぜ最高指導者は学校を開けないんですかと訊いても、はっきりとした答えがない。だからもうよくわからないというのが現状で、仕方なくそのまま続いているということです。

最近、カタール政府とターリバーンの直接対話が持たれ、女子校閉鎖問題などが話し合われたと報道されました。今後の成果に期待したいです。女子校再開はさておき、アフガン国民の半数以上は、家族を食べさせるのもままならないという状況です。

現状、国民は武器を持つターリバーンに対し、蜂起《ほうき》も何もできない。だから黙っているしかない。生活するだけで大変な状況でもあるので、疲れ切って余力もない。

女子教育とヒジャーブについて、現状、私が理解しているのはこんなところです。

インターネットでの学習は可能？

青木　女子中等教育の制限について、いわゆるセンフェ・ハフトム（クラス七）からドゥワーズダ（クラス一二）が閉鎖されているといういい方がされています。だとすると、実際のところ、一年生から六年生、日本で言う小学一年から六年生と、大学生については学校に通っているという理解でいいんですか。

安井　そうです。もちろん学校に通っています。ただ、親御さんによっては、大学は何が起こるかわからないから、怖くて行かせられないという人もいます。大学に行く時は、みんなマスクで顔を隠しています。ターリバーンに意地悪されたら嫌だから。実際、マスクをせずに行ったら入れてもらえなかったらしいんですよね。学生の人たちは、臨機応変にマスクをして、みんな学校に行っています（編集部注：二〇二二年一二月、ターリバーンは女子大学生の通学も停止。二〇二三年六月現在では私塾にも閉鎖勧告を出すなど、女子教育をとりまく状況はさらに悪化している）。

青木　海外の援助団体などが、中学生、高校生向けに、コンクールという大学入試共通試験用の教材をオンラインのアプリで開発しているということを聞いたのですが、そういう教材を使って都市部の若者が自宅で勉強して、大学生になったらまた通えるという見方もできるんですか。

安井　それは現実的ではないと思います。ネット環境が整っているのは都市部の人だけ。田舎にはネットもなく、電話もつながらないようなところがあります。みんなに等しくネット環境を提供できるのであれば現実的だけど、子どもはものすごくたくさんいるので……。それよりも、落としどころを見つけて学校を再開するのが一番いいと思います。

それから、アフガニスタン人は、自習ができない人の割合が多いと感じます。誰かに教えてもらえないと学べないと思っている節があって、学校に行けなかったら自分は勉強ができないと思い込んでいる人がすごくたくさんいる。

だから、どうやって自習をするのか、自己学習の方法を教えてあげればいいのにとも思います。そういう訓練を受けていれば、学校が休みでも、家でいくらでも学べるし。残念なんですが、多くのアフガニスタン人は自分で学ぶということがわからない。

ターリバーンと諸外国の関係

青木　ナウルーズの日（春分のお祝い）に学校を再開すると教育省も報道官も言ったけれど、結局、再開撤回という報道がありました。

二〇二一年の八月頃には、ターリバーンは二〇年前と変わり、国際社会から認められるために、少し穏健な、宥和《ゆうわ》的な姿勢を見せるのではないかとの楽観的な期待も巷にはあったように思います。実際、ターリバーンのムジャーヒド報道官は、諸民族・政治集団を包摂した政権の樹立とか、女子教育を認める、とも言っていましたが、カーブル陥落から一年近く経ってもそうはなっていません。

そういう判断が最高指導者レベルで決まったということは、ターリバーンにとってはまず中の結束を固めることが重要で、外国から認められることは後回しなのかなと。

パシュトゥーン人の内部には、非パシュトゥーン人に対してしっかりとグリップを効かせて抑えていくことを優先する考え方があるように見えるのですが、ターリバーン指導部の優先順位は、今どの辺にあるのでしょうか？

安井　多くのアフガン人政治家は、ターリバーンとは、パキスタンが後ろ盾になり、アフガニスタンが常に混乱するように仕向ける勢力だと言っています。

文献によれば、パキスタンは、最初へクマティヤールを水面下で支援したけれどうまくいかなくて、次にターリバーンを支援したようです。ダーエシュ（IS：Islamic State）の登場をこれと関連付けたり、ターリバーン指導部がどうこうというより、パキスタンの問題だという人もいます。

ボン合意の時、アメリカ代表の人が「ターリバーンは今はテロリストじゃない」と言っていました。昔はテロリストだったけど、テロリストの肩書きを担いでいたのはハッカーニー（編集部注：ターリバーン内の強硬派。アル＝カーイダとの関わりも持つ）であって、アメリカは努力してハッカーニーグループと関係を持たないようにしてきたという。

だから、アフガニスタンを本当に平和にしたいのなら、諸外国間のコンセンサスをつくって和平のテーブルをつくって話をしないと意味がない。ターリバーンとだけ話をしても平和は実現できません。この状況は、九〇年代から今に至っても同じなんです。

二〇二一年八月のターリバーンの政権掌握以降、今まで見え隠れしていたアメリカの姿が目立つようになりました。毎週、人道支援の名目で四〇〇〇万ドルの現金がアフガニスタンに届いています。国民の間では、この大金がターリバーン政権を裕福にしていると噂されています。アメリカは、ドーハでの和平合意でアフガニスタンの政権をターリバーンに分有させる計画がありました。しかし、ガニー前大統領の逃亡で同計画は頓挫。現在アメリカの思惑がどこにあるのかよくわかりません。

メディアの状況

青木　日本からアフガニスタン情勢を見ていると、カーブル陥落以前とは報道のあり方が変わっているように思います。ターリバーンに対する反ターリバーン的な武装抵抗活動や人権侵害の報道がターリバーン側のメディアでは一切報じられず、反体制的なプロパガンダとして扱われています。メディアの状況が一年前とどう変わったのか、また、非パシュトゥーン人であるタジク人、ハザーラ人、ウズベク人、トルクメン人に対する迫害や強制移住の状況について安井さんのご意見を伺いたいと思います。

安井　アフガニスタンのメディアに対しては、ターリバーンから厳しい取り締りが行われています。最初は普通に報じていたんですが、ターリバーンによる逮捕や拘束、拷問といった暴力によって、報道が制限されているようです。外国人のジャーナリストも注意が必要です。

取材禁止やビザの取り消しといった懲罰が科せられることがあると聞いています。

青木　なるほど。例えばターリバーンのムジャーヒド報道官のツイッターを見ると、パンジシールの住民にインタビューして、自分たちの街は平和だから皆戻ってこいと住民が言っていますが、それはターリバーン側のプロパガンダで、住民がそう言わざるを得ない状況にあるということですね。

安井　一〇〇%とは言いませんが、そういうところもあると聞きます。ターリバーンは報道官の発言と現場の実態が違うことがよくあります。アフガニスタンはいたって平和だと、何も起こっていないとターリバーンは国際社会にアピールをしたいんですよね。

編集部　先ほど少し話に出ましたが、インターネットは基本的に都市部のもので、地方では普及していないのですよね？

安井　そうですね。地方は未だに電話さえつながらないところもあります。都市部では、若い人はたいがいスマートフォン（以下、スマホ）を持っていると思います。ただ、一ケ月約五〇〇アフガニー（約七七五円）かかるので、やはりお金にある程度余裕がないと持てません。政府の公務員の給料が七〇〇〇アフガニー（約一万八五〇円）だとすると、けっこうな割合ですよね。

編集部　都市部でスマホを持っている人は、国外の報道も見ることができるんですか？

安井　そうですね。国外の報道は英語が多いのですが、最近はアフガニスタンに関連する海外のニュースなどがテレビの現地語のニュースやソーシャルメディアでも報道されています。現地のニュースはみんな読めます。

編集部　中国みたいにネットが遮断されているわけではないんですね。

安井　ターリバーンは本当はそうしたいかもしれませんが、遮断するのは簡単ではないですから。それができないから、ツイッターを逐一チェックしているのでしょう。それによって、牢屋に入れられた外国人のジャーナリストもいるそうですよ。

国外退避の状況の変化

編集部　今もアフガニスタンの人々の国外退避は続いているのでしょうか？

安井　今はパスポートとビザがあれば、飛行機のチケットを購入できます。つまり普通に旅行ができるので、退避なのか旅行なのかはわかりません。ただ、国外に出る人は多いと思います。

編集部　正式な手続きを経れば、出入りは自由にできるのですか？

安井　ターリバーンは出国に特に制限を設けていないようですね。（編集部注：一部の人をのぞいては）出ていきたい人はどうぞというふうに見えます。国外の航空会社はほとんどカーブルには飛んでこないので、国内の航空会社二社しかない状況です。ターリバーンは女性の一人旅を禁止していますが、私は外国人なので、何も言われなかったですね。

あ、電気が消えますけど、よろしいですか。五分ぐらい。

（停電中）

安井　すみませんでした。お待たせしました。

青木　自家発電の電気を街の電気に切り替えたんですか。

安井　そうです。失礼いたしました。

編集部　国外退避の話の続きなんですが、国外に自由に出入りできる経済状況の人だったら、出ていって帰ってこないという選択肢もあると思います。その点はいかがでしょうか？

安井　富裕層の人はもう戻らないし、そうでない人も基本的には戻ってこないですね。ただ、家族を連れていけなかった人は、戻ってきます。例えば、私の友人のジャーナリストは、家族・親族を含め二五人を退避させようとしたのですが、それが不可能だったため、家族を残して一時的にドイツに出た後、カーブルに戻ってきました。彼らはほとんど公の場には現れず、隠遁《いんとん》生活を送っています。

少数民族の迫害

青木　アフガニスタンでは、少数民族のハザーラ人が迫害されてきた歴史があります。また、ターリバーンはスンナ派が主体で、ハザーラ人がシーア派である点でも、彼らは今、とても生きづらい状況にあると思います。安井さんが現地で見られていて、ハザーラ人の状況はいかがでしょうか？

安井　ハザーラ人だけでなく、タジク人も苦しんでいます。あとパンジシール出身者も目の敵にされている（編集部注：アフガニスタン北東部パンジシール渓谷は、ターリバーンの統治に抵抗する武装勢力「国民抵抗戦線〈ＮＲＦ〉」の拠点のため）。だからハザーラ人だけじゃなくて、パシュトゥーン人以外の人たちは、ターリバーンからかなり意地悪や嫌がらせをされているようです。

青木　強制移住や土地の没収もあるんですか？

安井　あると思います。問題は、一部のターリバーンに歯向かったら、武器を持っている彼らに殺される可能性があることです。人々は逃げるしかない状況に追い込まれ、山奥に逃げた人々には、支援が届きにくい状況にあります。

ターリバーンは、反ターリバーン勢力との戦闘で負けると、負けた相手と同じ民族の普通の人に矛先を向けているようです。付近の村人たちは脅威を感じて、みんな逃げるしかない。

話し合いでは解決しない？

安井　イランで、国民抵抗戦線のアフマド・マスードらと、外務大臣代行のムッラー・モッタキーなどの間で話し合いが持たれましたが、まとまりませんでした。どちらかが引かないとまとまらないんだけど、双方が引くに引けない。落としどころが見つからず、いつも決裂して、もう戦うしかないという話になってしまうようです。

アフマド・マスードがインタビューを受け、アフガニスタンの現状について警告していました。国際社会がウクライナ戦争にかかりきりになっている間に、テロが北部アフガニスタンから中央アジアに浸透し、大変なことになる可能性があると。

青木　おっしゃる通りで、ターリバーンはターリバーンで、一方的に自らの主張をしているだけのように感じてます。一方の国民抵抗戦線も、ターリバーンは自由と独立を脅かしている、すべてのアフガン人のために抵抗するといっており、お互いの主張が完全に正面衝突している。例えばターリバーン側が、政府のポストをいくつかタジク人やハザーラ人に譲る、という譲歩もないですし、逆にタジク人やハザーラ人もターリバーンに対して一歩譲るということはない。これが続けば、結局、内戦時代に逆戻りという悲観的な未来しか見えないですよね。

安井　そうそう。話し合いで解決できるならば、平和交渉をしていたんですよ。でも、アフガニスタンに住んでいると、感覚的にわかるのですが、言葉では相手を理解させられないんですよね。そうしたら、武力行使しかない。

　順番でいえば、次はターリバーンが妥協する番のように思いますが、彼らはこれまで一度も妥協したことがないので、そのような展開になることはないでしょう。国民もこのことを理解している。外国の人は話し合いで解決を、と言いますけれどね。

　だから遅かれ早かれ、国民抵抗戦線の活動がこれまで以上に活発化し、地上戦が始まる可能性も否めないでしょうね。

　アフガニスタンに住んでいる人間として、早急に解決してほしいと心から願っていますが、この状態がどれだけ続くのか心配です。前回の戦争は一九九六年から二〇〇一年まででしたが、今回はどれだけ続くのか考えると不安ですね。
最近、七カ国ぐらいがターリバーンによる外交官駐在を認めています（二〇二二年七月時点）。これで五月雨《さみだれ》式に政府承認ということにはならないでほしい。現状、経済が全くダメで、国民生活は厳しい状況が続いていますから。

厳しい経済状況

編集部　経済がダメというのは、仕事がない、物資がないということでしょうか？

安井　アフガニスタンは、元々外国からの支援に頼っていた国なんですね。外国支援によるたくさんのプロジェクトの中には、道路や建物の建設などもあり、多くの雇用を創出していました。特に都心部は日雇いの人ばかりで、そういう人たちが職にありつけた。しかし、現在は政府承認がないため、そういうプロジェクトはすべて中止され、雇用がゼロになったわけです。もちろん、食糧支援などの人道援助は行われています。ＮＧＯはこまめに活動していますが、大規模なプロジェクトのように雇用を創出することはできません。だから、みんな収入がなくなり、モノも売れないから、経済が回らなくなっている。さらに、金融も差し止められているから、お金を持っている人も銀行からお金を引き出せず、生活が苦しくなっているんです。

ウクライナ戦争のせいもあるでしょうか、小麦など輸入品の価格も上昇し、物価が高騰しています。貧困家庭だけでなく、公務員も給料が減額されました。中流階級の人たちも食べ物をちゃんと買えなくなり、子どもたちが栄養失調に陥っている。貧困状態は妊婦さんにも影響を与えています。母体の栄養不足によって早産で生まれたり、黄疸を起こしたり、脳性麻痺を発症したりする子どもも増えています。私がある子ども病院に行ったら、三〇床のうち四人がそういう状態でした。

子どもたちを養うことができない親は、おじいちゃんやおばあちゃんのところに子供を預けるんですが、そこでも十分な栄養を与えられない。食事はナンと甘いお茶だけということもあり、子どもは栄養失調になって多臓器不全に陥る。そんな死にそうな状態で病院に連れてこられても、何もできないですよね。

青木　ターリバーンはこれまでに包括的な経済政策を打ち出していないですよね。そもそも国の統治方針や新しい憲法も存在しない。イスラーム統治をするとだけいっている。その中で、ローガル州のアイナク銅山を再開し、中国など海外に投資を呼びかけ、また、農畜産品の輸出を増やすというような意図は垣間見える。これ以上の経済救済策はあるのでしょうか？　欧米に対して資産凍結を解除するよう求めることで、国民の不満を欧米に向けさせてはいますが。

安井　最高指導者のムッラー・ハイバトゥッラーによる、国民に向けての新年の挨拶があったけれど、貧困に苦しむ人々を助けたいというようなことは、ひと言もなかった。言っていたのは、国際社会に承認と資産の凍結解除を早くするよう要請した、ということだった。国民がどういう状況に置かれているかを踏まえた上で、国民に向けたメッセージを言ってほしかった。

一方、パクティカーで地震があって、パシュトゥーン人が一〇〇〇人近く死んだら、副首相代行のムッラー・バラーダルが行って、一日も早く元の生活に戻れるようにしたいと言う。なぜかといえば、亡くなったのがターリバーンの主要構成民族パシュトゥーン人だからだと思われます。

カーブルでパシュトゥーン人に話を聞くと、今ほど治安がいいことはないと言う人が多い。一方で、ハザーラ人がテロ攻撃などでたくさん亡くなる事案も多くあります。自民族への帰属心が強く、他の民族への共感が乏しいところは、本当に悲しい。

汚職について

青木　ターリバーン政権が二〇年前に出現した当初は、当時関わった人や外交官の方々に話を聞くと、ターリバーンは世直し運動として始まり、清貧なイメージもあり、創設者で初代最高指導者のムッラー・ウマル自身も腐敗していなかった上に非常につつましい人物だったといいます。上層部も同様です。しかし、二〇〇〇～二〇〇一年頃に赴任した国連職員らによると、末期のターリバーン政権は極度の腐敗をしていた。現在のターリバーン暫定政権は、外国軍を駆逐し、イスラーム統治を掲げている。その大義だけを切り取れば決して悪くないし、国民のために行動することを謳ってもいる。ただ、その実態はどうなのでしょうか？現在のターリバーン暫定政権以前の旧政権には、巨額の援助が流れ込んできて高官のポケットに入ったといわれています。そういう中で、ターリバーン暫定政権は初心を守ることができるのでしょうか？

安井　ターリバーンにも、敬虔なイスラーム教徒のいい人もいます。ずっと立ちっ放しで警備をしているので、お昼時に近所の人が気の毒だと思って、「ご飯でもいかがですか？」と訊いたら、「そんなことをしたら罰が当たる。ここで警備をすることが私自身の徳になる」と答えたそうです。

一方で、腐敗している部分もあります。警備員は、今は若干給料が出ているようですが、元々給料がなかったので、生活するのが大変だった。「二〇年間戦ってきたのに、こんな侘《わび》しい生活をしている」と言うターリバーンもいます。だから、自分たちで始めたのか、政府の指示かわからないですが、勝手にチケットみたいなものを作って、車を停めてチケットを切って五〇アフガニーを徴収するようなことをしている。

青木　それは明らかに国庫に入っていないですね（笑）。

安井　だからタクシーの運転手さんは文句を言うわけよ。五〇アフガニーあればナンを五枚買える。運転手さんたちは、おそらく一日に一〇〇～二〇〇アフガニーぐらいしか稼げないから、なんでそんなものを払う必要があるんだと。

青木　そうなると、ターリバーンへの国民の支持はどんどんなくなり、経済状況も悪化します。武装蜂起のような非常に危険な方向に向かう感じはしますよね。

安井　この状況が続いたら餓死すると言う人もいますね。でも、家族で助け合ってそうはならないのがアフガニスタンなんだけどね。とはいえ、栄養失調で死んでいる子は確かにおり、状況は深刻です。一番しわ寄せが行くのは子どもですね。腎臓を売ったり、子どもを売ったりする人もたくさんいます。

昨年（二〇二二年）の年次決算報告で、政府の利益が六％上がったと経済省が発表していましたが、国内の経済は破綻したまま。国民の八割余が失業中。アメリカからの人道支援の四〇〇〇万ドルの現金は順調に届いているようです。私を含め国民の疑問は「大金がどこに行ってしまっているのか」。国庫金として銀行にあるならよいのですが、それを確認した人はおらず、透明性の確保が重要な課題です。

医療の状況

編集部　医療はちゃんと機能しているのでしょうか？　例えば新型コロナウイルス感染症への対応はできていたのでしょうか？

安井　コロナはアフガニスタンでは終わったことになっています（笑）。日本が建設した感染症病院はありますが、私も含めマスクをしている人はほとんど見かけません。そもそも、コロナで死ぬ前に餓死すると、みんな言っていますから。

病院は基本的には機能しています。ただ、お医者さんの給料が支払われないことがあったり、患者さんが病院に来てもお金を払えなかったりするので、私立の病院はどんどん閉院しています。すると、患者が政府の病院に集中するので、常に混んでいるようです。

医療サービスの質は低いといわれていますが、外傷や火傷などの治療は、戦争が長期間続いたことから、比較的得意なようです。

青木　お医者さんや看護師さん、教師や公務員の給料はどこから出ているんでしょう。減額されているとはいえ、ターリバーンの中央銀行にあるお金から支払われているんですか？

安井　そうです。最低賃金の人以外は、減額で給料が支払われています。

面白いのが、女性課題省は今は勧善懲悪省になっているのですが、女性課題省の人にも給料が支払われているそうなんです。毎週一回、出欠簿を付けに行くだけで。

青木　ええ!?　そうなんですか？

安井　ターリバーンは旧政権の女性職員にも給料を払っているけれど、仕事はさせていない。なぜかというと、同じ部屋で働いたらダメ、というような規律に合わせてシステムをつくり直す必要があるけれど、それが間に合っていないから。

青木　そうすると、ターリバーンが武装勢力だった時には、農民から十分の一税を徴収するなど財源を持っていましたが、同じような仕組みが、ターリバーンの暫定政権の中にもあるということでしょうか？

安井　あるんじゃないでしょうか。どんぶり勘定だと思いますけど。

青木　関税収入もありますもんね。
安井　そうそう。関税もあるよ。そういうのも国家予算に入っている。少し前に年度予算を出していましたからね。どうやって計算しているのかわかりませんが、予算を出すくらいなので、それなりに国家収入はあるのでは。

ターリバーンの統治の形

編集部　ターリバーン復権でトップは全部入れ替わりましたが、市民に一番近い役所の窓口などは、以前と同じ人たちが継続してやっているのでしょうか？
安井　そうですね。省庁もそうですが、トップは代わるけど、その下は代わっていないところが多い。ターリバーンの下で働くのが嫌で来ていない人や、女性以外は、基本的にそのままだと思います。ターリバーンは全土でそうしたいみたいですね。
青木　ターリバーンがいうイスラーム的な統治について、国家の形態が明確に定まっているわけではありません。それはコーランやハディースにも書かれていない。彼らは、これらを典拠《てんきょ》に国の統治を行おうとしているのですが、一方で、元々あった国と接ぎ木するような形にもなっている。今はイスラーム共和国政府と接ぎ木して、地方を統治しているように見えます。

どのイスラーム国家でも、聖なるものと俗なるものが混在していますが、各国の事情によってどの程度混ざるかは異なります。例えば、隣国のイランには最高指導者がいる一方で、国民が選んだ大統領も存在している。非常に権威主義的な体制だけれども、イスラーム共和制として成立している。もちろん、湾岸の国々にも、様々な形態があるでしょう。

アフガニスタンについて、ターリバーンも何とかしようとしてはいますが、まだ形が定まっておらず、過渡期にあるといえます。ここをうまくやらないと、三〇〇〇万～四〇〇〇万の国民が大変困る。外国もアドバイスはできますが、実際に行動を起こすのはアフガニスタン人自身なので、何とか妥協点を見つけてほしいですね。

安井　繰り返しになりますが、一番の問題は、窓口が一つではないことですね。ターリバーンが内部で一つになってくれれば、問題は解決しやすくなる。しかし、そうなっていないため、話がややこしくなる。こちらに話をして、あちらに話をしないと揉める。国際社会には一つにまとまっているように見せかけていますが、内部で意見が対立している。だから、いつまで経っても返事が出てこない。国民にとっては大迷惑です。

最近は戦闘もなく、爆発も減っているため、息苦しさは少し軽減されましたが、女性の外出制限などは息がつまりますね。

日本人にとっても重要な問題

編集部　ありがとうございます。最後に言い残したことがありましたらお願いします。

青木　アフガニスタン国内の話は充分にしましたので、日本を含め諸外国が、今後アフガニスタンとどう向き合うかについて触れておきたいと思います。

　アフガニスタンを国際テロ組織の巣窟、出撃基地にしないことが、九・一一後のそもそもの介入の目的でした。ただ、現状、アル＝カーイダは国内にいるといわれています。国連の報告にもそう書かれています。また、中国のウイグル人の独立運動組織であるトルキスタン・イスラーム党の動画を見ると、ターリバーンの人間が映り込んでいます。

　国際社会の関心がウクライナに向けられている今、アフガニスタン国内がテロ組織の温床になるのが非常に怖い。

　九〇年代の湾岸戦争時に、皆の目がそちらに向いている間に、アフガニスタン国内が混乱し、諸外国の介入と干渉があり、また、ムジャーヒディーンの非道に対しての一つの反動として、出現した経緯があります。

これが繰り返されると、過去二〇年間の取り組みが完全に無駄になってしまうでしょうし、日本人も九・一一で二四人が亡くなっていますので、アフガンの問題は対岸の火事ではありません。ですので、日本人ひとりひとりに、アフガンの問題が自分たちとも関係があると認識してほしいですし、政府レベルでも地道にターリバーンに働きかけていくことが重要です。特に少数派の権利を主張してほしいですし、それこそ民族に基づく差別は絶対に許してならないという強い立場で臨んでもらいたいですね。

国際社会の関与が絶対に必要

安井　国際社会の関与なしにアフガニスタンの問題の解決はあり得ない。過去の経緯をみるかぎり、自分たちでは問題の解決ができない。国民はこれでもかというぐらい疲弊しています。この四〇年間ずっと戦争をしていますし、貧困問題もあります。だから、この国では「アラブの春」みたいなことは起こり得ない。そこまでの元気が残っていない。

　国民抵抗戦線がどれぐらい対抗できるかは今後を左右し得ますが、ターリバーンを完全に排除することはできないでしょう。しかし、何らかの形で和平のテーブルにつけさせ、他の関係者と話し合いを行わせる必要があります。これは国際社会のプレッシャーなしでは達成できません。ただ、私は国家として承認することを求めているわけではありません。

国連の制裁リストに名を連ねる人間が国を統治している。国際社会はこれについて沈黙しており、アメリカは関わりを避けるようにしていますが、元々、アメリカがアフガニスタンをグチャグチャにしたのですから、状況を改善する責任があるはずです。

これは国内の問題ですが、問題の原因は国際社会、特にアメリカにあります。ですので、国際社会は常にアフガニスタンに興味を持ち続け、関与し続けなければならない。そうしないと、この国は平和になりません。国際社会はアフガニスタンを見捨てず、ターリバーンを説得し、恒久的な和平に向けて継続的に取り組んでほしいと思います。

青木　過去にイランが仲介したような形で、ターリバーンとそれ以外の勢力が話し合い、新しい政治合意に基づいた、包摂的な政府をつくってもらいたいですね。アフガニスタンは多民族国家ですので、それが不可欠だと思います。

安井　最近まで、落としどころはパキスタンにあると思っていました。だから、アメリカがもっと強くパキスタンにプレッシャーをかけ、パキスタンがターリバーンの首根っこを捕まえて、他の武装勢力とともに話し合いのテーブルに強制的に座らせ、何らかの結果を出してほしいと。ですが、ターリバーンは、自政権が長くなるにつれ、パキスタンやアメリカ、カタール、イランなど国際社会の言葉に耳を傾けるどころか、独自路線で政権を動かすようになりました。

元大統領のムハンマド・アシュラフ・ガニーさえ亡命しなければ、何かしらの道筋が見えていたらしいのですが……。

はっきり言えることは、この国を再びテロの温床にしてはならない。現在二一の国際テロ組織がアフガン国内で活動しているとされています。その場合、テロがどこに飛び火するかわかりません。前回はアメリカでしたが、次は日本に行くかもしれない。テロ国家を阻止するべきというのは、わかり切っていることです。そして、この国がその方向に進んでいることも。（了）

コラム④　あまり知られていないアフガニスタンの食文化

「香辛料を多く使っていて、辛い味つけなのではないか？」

アフガニスタン料理の話題になると、こう聞かれることが多い。しかし、実際は、アフガニスタン料理は全く辛くなく、むしろマイルドな味わいだ。

食堂で食される代表的な三大料理は、ケバブ（**写真①**）、カブリ・パラオ（**写真②**）、コルマ（**写真③**）である。

ケバブは、羊肉を串焼きにした料理で、ナンと一緒に食べられる。肉と肉の間には脂が挟まっており、この脂が美味なのだが、食べ過ぎると瞬く間に体重が増えるので注意を要する。

カブリ・パラオは、バスマティ米を人参やレーズンなどとともに炊き込んだ国民食とも呼べる料理だ。お米を掘り起こすと、下には隠された財宝のごとく羊肉の塊が鎮座している。

コルマは、羊肉などを玉ねぎやトマトと一緒に煮込んだ料理だ。標高が一八〇〇メートルあるカーブルは沸点が低く、コルマをはじめ煮込み料理の調理には圧力鍋が使われる。

もっとも、一般的にいって、アフガニスタン人の多くは頻繁に外食するわけではない。つまり、真のアフガニスタン料理は家庭料理にある。

家庭料理では、ルビアと呼ばれる豆の煮込み（**写真④**）、カリフラワーやじゃがいもやオクラなどの旬の野菜を炒めて煮込んだ料理などを、ナンと一緒に食すことが多い。各家庭の経済状況によるが、肉が供されるのは毎日ではない。

盛大なご馳走が振る舞われるのは、客人を家に招待した時だ。ホストは、客人に対して食べ切れない程のご馳走を振る舞う（**写真⑤**）。カブリ・パラオ、コルマ、鶏肉の丸焼き、マントゥー（餃子にトマトソースとヨーグルトがかかった料理）、サラダ、果物など、驚くほどの量が出される。客人歓待を美徳とするアフガニスタン人は、ホストと

写真①ケバブ

写真②カブリ・パラオ

写真③コルマ

写真④ルビアの煮込み

写真⑤友人宅で振る舞われた料理

写真⑥カラーヒー

本コラムの写真はすべて筆者撮影。

して、料理が足りないことを何よりも恐れるのである。

私が省庁アドバイザーをしていた時、大臣にお供して西部ヘラート州の農村を訪れたことがあるが、村人は大臣が来るということで山羊を一頭屠って供していた。アフガニスタン人の客人歓待の精神を思い知らされた。

この他にも、羊肉を鉄鍋で炒めたカラーヒー（**写真⑥**）や、意外に思われるかもしれないが、魚料理が提供されることもある。陸封国だが、川魚はバザールでも売られている（**写真⑦**）。大抵の場合、こうした川魚は揚げ物にして食べられる（**写真⑧**）。

もう少し手軽な軽食としては、サモサと呼ばれる三角形をした春巻きのような揚げ料理、ボラーニーと呼ばれるお好み焼きのような料理などもある。どれも日本人の舌に合う味だ。

忘れてはならないのが、チャイ（お茶）である。アフガニスタン人は、兎にも角にもチャイが大好きだ。チャイ・サブズ（緑茶）とチャイ・スィヤー（紅茶）の二種類がある（**写真⑨**）。砂糖をたっぷり入れて飲むのがアフガニスタン流だ。デザートで食べら

写真⑦路上で売られる魚

写真⑧川魚の揚げ物

写真⑨チャイ・サブズ

写真⑩アイスクリーム

写真⑪桑の実

写真⑫ぶどう

れるアイスクリームも、特徴的な形をしており大変美味しい（**写真⑩**）。

果物が豊富なアフガニスタンでは、ザクロ、桑の実（**写真⑪**）、りんご、マンゴー、ぶどう（**写真⑫**）などがよく食べられる。どれも高品質で素晴らしい味のものばかりだ。アフガニスタンの新年では、７種の果物（ハフト・メイワ）を食べる。これには、日本でお正月にお餅を食べるのと同じように、同国の特産品を食べ、新年の門出を祝う意味があるのだろう。

時代は変われど、アフガニスタンが農業立国であることは不変であるように思われる。

第五章

国外退避する人々

イランに移住したアフガニスタン人たち

四年ぶりのテヘラン訪問

二〇二二年八月下旬、私はアフガニスタンの西の隣国イランの首都テヘランにいた。これは現地調査の一環で訪れたものであり、私にとってイラン訪問は新型コロナウイルス感染症が流行する前の二〇一八年二月以来、実に四年ぶりであった。

中東調査会でアフガニスタンとイランを中心に中東情勢をフォローしている私は、通常であれば一年に一回は現地情勢を把握するためイランを訪問するつもりでいた。しかし、二〇二〇年初頭からのコロナ禍により、現地調査を行うことは事実上不可能に陥った。このため、コロナ禍が収束しつつあるこのタイミングを捉え、私はイランに行くことを決意した。

調査の目的の一つは、イランの対外政策について有識者から聴き取り調査をし、資料を渉猟《しょうりょう》することであった。しかし、私にはイラン訪問のもう一つの目的があった。それは、ターリバーン暫定政権が発足して以降、身の危険を逃れるためにアフガニスタンからイランに退避した人々から直接話を聞くことであった。

ターリバーンが衝撃的な形で権力を奪取したことを受けて、多くの人々がカーブル国際空港に押しかけたことは記憶に新しい。日本でも連日のように、テレビ画面は、カーブル国際空港に押し寄せる人の波や、軍用機にしがみついてでも国外脱出しようとする必死の形相の人々を映し出していた。私自身、テレビや新聞から取材依頼が殺到し、昼間はメディアでのアフガニスタン情勢の解説に追われる一方、夜間は現地から助けを求める友人らが他国に退避できるようにするための推薦状を書くような日々が続いた。

特に都市部に暮らすアフガニスタン人にとり、ターリバーンは同じアフガニスタン人とはいっても、異質な存在と映っていた。二〇二一年八月一五日直後の状況は、こうしたアフガニスタン人にとって、正しく「世界の終末の日」とさえ呼べるような混乱状況だった。

こうした経緯から、アフガニスタンの政変が国外退避者を大量に出していたことは肌身をもって知っていたものの、それでは国外に逃れたアフガニスタン人が実際にどのような生活を送り、日々何を感じ、そして将来どうしたいと思っているのかといったことについてはわからないままだった。私は、アフガニスタン人から直接話を聞き、その状況を自分の目で見て、彼ら・彼女らが何を感じているのかを理解しなければならないと思った。私がイランに行こうと思ったのは、こうした動機からだった。

ところで、アフガニスタンは六カ国に囲まれた陸封国であり、何故、イランである必要があったのかと疑問に思われる向きもあるかもしれない。イランが調査先として適当である理由は明確にある。イランは、全部で四五〇万人ともいわれるアフガニスタンからの移民・難民が居住する一大受け入れ国である。とりわけ、シーア派のハザーラ人にとってイランは同じ宗派であり、また言語や文化の近接性が高いイランを退避先として選ぶ傾向が強い。つまり、カーブル陥落を経て、最も多くのアフガニスタン難民が流入した国がイランというわけだ。

こうしたことから、私はアフガニスタン人の知人を通じて、複数のアフガニスタン人（すべてハザーラ人）とテヘランで会うことにした。テヘランでは、アフガニスタン人が経営するレストランも訪れた。テヘラン市内中心部にある、移民二世のレザーさん（仮名）とその妻が切り盛りする、こぢんまりとしつつも、お洒落な装いのアフガン料理店だ。レザーさんの父は、四〇年前にアフガニスタンからイランに移住してきており、テヘラン大学で学位を取得しているとのことであった。

レザーさんはイランで生まれ、アフガニスタン人女性と結婚、今はこのお店で店長を務める。イラン人に次第に受け入れられるようになり、日本人も訪れることがある人気店に成長している。私はカブリ・パラオと鶏肉の煮込み料理を食したが、非常に美味であった（写真左）。店を出る際に立ち話をしたが、最後に私も記帳したノートには、既に日本人のサインもあった。なお、本章では、安全への配慮から、すべて仮名を用いることにする。また、実

（写真上）テヘランにあるアフガン料理店の様子
（写真下）私が食したカブリ・パラオと鶏肉の煮込み料理

（出所）いずれも筆者撮影

際のインタビューはダリー語で行われた。

中央部ワルダック出身の女性ザフラーさん（仮名）の話

私は、アフガニスタン中央部ワルダック州出身で、さる政府省庁で働いていたハザーラ人女性のザフラーさん（仮名）から話を聞くことにした。黒いチャードル（体全体を覆う布）を身に纏った彼女は、甥を伴って、待ち合わせ場所のテヘラン中心部にあるシアター・シャルフ駅に現れた。私たちは駅近くの公園のベンチに座り、インタビューを始めた。

外国ＮＧＯでも勤務したことのあるザフラーさんは、六カ月前にイランに移住してきたそうだ。彼女は、カーブルが陥落した時にそこにいたが、ターリバーンが迫りくる恐怖はそれまで経験したことのないものだったと話した。その後、ターリバーンは恩赦を宣言したが、それは虚偽であり、実際には報復は続いていると訴えた。

現在のアフガニスタンの状況について、人道・社会状況が著しく悪化しており、特に女性にとっては人権がない状態だと彼女は話した。移住を決めた直接的原因を尋ねたところ、ターリバーン復権後に経済状況が悪化したことが大きいと語った。仕事を失い、また一三歳の息子がいることから、治安や教育事情の悪化などもあり国で暮らし続けることはできないと判断したようだった。彼女は、ターリバーンには国を治める能力も、それに見合う教育水準もない、ターリバーンによる統治が続くことをアフガニスタン人は望まないと私に語った。

治安情勢について、アフガニスタン国内で小規模の戦闘が続いており、パンジシール州で民間人が殺害される事件も頻繁に起こっており、軍人ではなく民間人がターリバーンに殺されているとのことであった。また、「イスラーム国」（ＩＳ）がカーブル西部のダシュテ・バロチー地区への攻撃を断続的に行っており、ハザーラ人は特に被害を受けていると述べた。

彼女は、一九九四年に台頭したターリバーンは外国のプロジェクトだったとの見方を示した。一つのエピソードとして、二〇〇三年に西部ヘラートからカーブルに引っ越した当時、国土の七五％はターリバーンが占領しており、カーブル－バーミヤーン間の道路はターリバーンに支配され、その中にはパキスタン人ターリバーンもいたとのことであった。彼女は、第一期ターリバーン「政権」時代もパキスタン人戦闘員がいたし、ヘラートにいた時もそうであったことを目撃したとのことであった。

続いて、私は彼女に、ターリバーンによる統治について尋ねた。彼女は、ターリバーンは過去二〇年間に積み上げられたシステムを受け入れないだろう、外国人の作ったものや西洋から押しつけられたものをターリバーンは受けつけない、したがってターリバーンは自分たちがプログラムを作るまで外国からの影響を排除するだろうと述べた。

女性の権利について、ヒジャーブ着用は強制されており、黒色のヒジャーブは認められるが白色は認められないとのことであった。これはターリバーンが自らの主張する旗と同じ色だからの由《よし》である。ターリバーン統治下、女性一人での外出も認められない、音楽も禁止されている、女子教育の制限についても残念ながら続くだろう、との見通しだった。

移住先のイランでの生活について質問したところ、イラン政府はアフガニスタン人に滞在の権利を認めず、よって大きな問題を抱えているとのことであった。アフガニスタン人がイランで家を買ったり、車を買ったりすることはできず、何もできないので「囚人と同じ」とすら答えた。

とりわけ経済的問題が一番大きく、過去の貯金を切り崩して生活しているとのことであった。ザフラーさんは、姉妹と一緒にイランに移住してきたが、彼女は博士号を所持しているものの、その知識を社会に対して還元することが認められていないようなものだと所感を述べた。なお、彼女はパスポートを持って合法的に入国したとのことであった。

私の方から、将来の望ましい和平についてどう考えるかと質問したところ、アフマド・マスード（一一九頁参照）は武装抵抗してはいるが成功しないだろう、結局のところパンジシール出身者やタジク人だけを優遇することは目に見えている、との反応を見せた。確かに、アフガニスタンには、自民族・部族のことしか考えない悪習がある。これはカルザイ政権時代もそうであり、各省庁でも大臣の民族の職員ばかりが雇用されていたから、納得のできる言い分である。彼女によれば、特に少数民族であるハザーラ人は冷遇されており、ターリバーン暫定政権内にも登用されておらず、ハザーラ人が政府で働くことは非常に難しいとのことだった。

彼女は政治エリートに対しても辛辣だった。モハッケク元行政副長官、ダーネシュ元副大統領、ハリーリー元副大統領等のハザーラ人指導者に対する信頼もない模様で、彼女はこれらのハザーラ人政治エリートと家が近かったが、カーブルがターリバーンの手に陥落する前に既に国外に逃亡したと知っているとのことであった。腐敗していた旧政権も、ターリバーンも、人々はどちらも支持しないと述べたところが印象的であった。

ザフラーさんは、王政時代を振り返りつつ、ザーヒル・シャー国王時代は平和でよかったとつぶやいた。治安も安定し仕事も与えられていた、皆ムスリムの価値を共有し平等であった、教育も英国、アメリカなどの影響を受けながら円滑に行われていたとのことであった。そして、彼女は教育不足は現下のアフガニスタンの大きな問題だと述べるのであった。アマーヌッラー国王は女性にヒジャーブを着用しないでよいと通達し、近代化を推し進めた。しかし、国民から反発を買い失脚した。彼女は、アフガニスタンでは何事も中庸にやることが重要であると、過去二〇年間に導入された選挙がうまくいかなかったことを事例に挙げつつ主張した。選挙プロセスは全く透明性を欠いていた、国民の多くには電子投票するためのカードすら与えられなかった、一体どのように投票所に行けばよいというのだろうか、と。

最後に、私の方から、将来の展望について問うたところ、アフガニスタンは伝統的で宗教的な社会であり、多くの人がターリバーンに同調する考えを持っていることも事実であると語った。彼女は、こういった社会的背景を考慮すれば、アフガニスタンの人々とターリバーンが話し合うことが最も重要だと思うとの考えを打ち明けてくれた。それほどアフガニスタンでは伝統的な考えが強いのだ、となかば諦めの表情で私に語った。そして、伝統的な形での「選挙」をすればよいと思うとの意見を述べた。つまり、民意を汲み取るための国民対話をするべきという考えだ。これには、私も同意した。

しかし、ハッピーエンドで話がおわったかというとそうではなく、やはり全体的には将来に〝希望を見いだせない〟(ナー・オミード)、彼女は外国の団体で働いたこともあり身の危険を感じる、と述べるのであった。

総じて、ザフラーさんの話からは、ハザーラ人コミュニティーにおけるターリバーンに対する根深い不信感が感じ取れた。それと同時に、多くの国民は、旧政権高官に対してもよい感情を持ってはいないこともうかがえた。この点は、ターリバーン批判を一辺倒にするかと想定していた身としてはやや意外であった。それであるが故に、アフガニスタンの国民統合を実現するためには、未だ遠い道のりがあることを痛感させられた。

カーブル出身の男性アリーさん（仮名）の話

続いて、別の日にアリーさん（仮名）のテヘラン市内の住居を訪問して、聴き取り調査を行った。彼が暮らすのは、他のアフガニスタン難民ら二〇名との二階建て共同住居で、キッチンやトイレを共用しつつ、狭い空間で雑魚寝する、お世辞にもきれいとは言い難い場所だった。

アリーさんは、首都カーブル出身でコンクール（大学入試共通試験のようなもの）を通過してカーブル大学に進学していた。しかし、カーブル陥落後、イランに移住することを決めたとのことだった。カーブル陥落時、彼はカーブルにいた。ターリバーンによる統治が始まると、洋服での外出は認められず、ペラハーン・トンボーン（アフガニスタンの男性が着る民族衣装）での外出だけが認められるようになった。

彼は、ターリバーン復権後、社会状況の悪化、失業、教育制限などが重なり、何もすることができず、将来に希望を見いだせないと語った。彼にはカーブルに妹二人がいるが、彼女らは民間の教育施設に通い、短期コースを受講している、そして女性は教育の制限を受けているが、民間教育施設についてはターリバーンも何も言わないのが実情とのことであった。但し、男女は、別教室で学んでいるそうだ。

イラン移住時について質問したところ、彼は一人でイランに来ており、カーブルには母と妹二人（前述）を残していること、母はマハラム（女性にとって近親の男性家族構成員）がいないと外出できないこと、また元政府職員なのでターリバーンからの脅威に晒されていることを心配そうに話した。

イランでの生活については、朝八時から深夜まで働き詰めだが、イラン人スタッフとアフガニスタン人スタッフの間の待遇は同じではないことが不満とのことであった。例えば、彼は機械工の仕事をしているが、イラン人はひと月当たり五〇〇万トマン（当時のレートで一七〇米ドル程度）の給与を得られるとしたら、アフガニスタン人は二〇〇万～三〇〇万トマン（七〇～一〇〇米ドル程度）しか得られない。確かにイランの治安状況は良好だが、アフガニスタン難民への差別は厳然と存在していると述べた。メカニックの他には、衣類を仕立てる仕事をしている者が多いそうだ。なお、最低限の生活費以外の給与は、カーブルにハワーラと呼ばれるイスラーム圏で流通する送金方法で送金している。

イランでの生活について質問したところ、イランでの生活については、宗教も同じで、言語も通じるので、特段生活上の問題はない、少なくとも給料をもらえるのでよしと考えているとのことであった。

ターリバーンによる統治についての意見を求めた際には、ターリバーンは民族的にはパシュトゥーン人主体であり、パシュトゥーン主義者の集まりである、恩赦を公言していたが実態は異なるとの見方を示した。また、ターリバーンは、農家の家畜などを勝手に持っていってしまう、その背景にはそもそもターリバーン司令官が教育を受けておらず、いわば農民が司令官をしているようなものであり、〝教育がないこと〟（ベー・サワード）が根本的な問題だとの見方を示した。

現状について、アリーさんは、ハザーラ人は、ターリバーン、ＩＳ、そしてイラン政府から脅威を受ける三重苦の状態にある、国際社会にはなんとしても現状を改善してもらいたいと訴えるのであった。最後に、将来の夢について聞いたところ、どこかの国に移住して教育を受け続けたい、そして家族も連れて行き一家でともに暮らしたいと話した。

ターリバーン暫定政権に対するアフガニスタン移民・難民の受け止め

イラン滞在中、この他にも在住アフガニスタン人からの聴き取りを行ったが、それらのいずれにも共通することがいくつかあった。

一つ目には、アフガニスタンの根本的な問題は、〝教育不足〟(ベー・サワード)であるとの認識であった。そもそも深刻な教育不足の問題がアフガニスタンには存在しており、ターリバーンの中・下級司令官や末端戦闘員らに国を統治する能力はないのだとの声が根強くあることがわかった。

この教育不足の背景には様々な問題がある。アフガニスタンで教育が普及しなかった要因には、長年の戦争の歴史と治安悪化の問題、中央政府の脆弱性に伴う教育省による活動の限界などが指摘できる。また、家庭の一部ないし多くに、子どもを学校に通わせるよりも、農業や牧畜をはじめ家の仕事を手伝ってほしいという児童労働の問題もある。そして、女子は出産や育児や家事など家の仕事に専念すべきだという極めて保守的な考えをする家庭が、特に地方部では主流であることも挙げられる。

二つ目に、今回私がインタビューした少数民族のハザーラ人の目には、パシュトゥーン人主体のターリバーンが〝民族差別主義者〟（ネジャードパラスト）と映っていることであった。実際、ターリバーンは、口約とは裏腹に、パシュトゥーン民族主義的な政策を推し進めている（第二章を参照）。インタビューに応じた人々の家族や友人らが、実際にターリバーンから治安上の脅威に晒されたり、女性の外出や服装規制などの風紀取り締まりの対象とされたりしている事例が確認された。

三つ目に、これはとりわけハザーラ人が置かれた境遇であるが、彼らがターリバーン、ＩＳ、およびイラン政府から抑圧を受けており、三重苦とも呼べる不遇の境地にあることを痛感した。アフガニスタン国内では、パシュトゥーン民族主義的な政策が推進されており、ハザーラ人は政治的に周縁化され、一般民衆も社会階層の中で底辺に位置づけられている。それに加えて、イスラーム過激派勢力ＩＳの属州「ホラーサーン州」は、シーア派であるハザーラ人を標的とした治安事案を繰り返し実行し、多くのハザーラ人を殺傷してきた。ターリバーン統治下のアフガニスタンで、ハザーラ人が暮らしてゆくことは非常に難しいといえる。

さらに追い打ちをかけているのが、退避先であるイランの政府と人々の反応である。多くのハザーラ人は宗教・言語・文化的な近接性から、パキスタンでも中央アジア諸国でもなく、イランを退避先に選んでいる。ターリバーンやISの抑圧からようやく逃れたと思った矢先に、イラン政府は滞在許可証の発給をしぶっている。アリーさんは、警官に呼び止められるのが怖いため、一日に一度しか外出はしていないと語っていた。また、イランの企業でも、イラン人とアフガニスタン人の間で待遇の明確な格差が存在する。イラン社会では、少数民族のバローチ人やクルド人らは社会階層の中で下に見られる傾向があり、アフガニスタン難民はさらに下の階層に位置づけられてしまう。

こういった状況にあるため、将来に〝希望を見いだせない〟（ナー・オミード）との声が複数のアフガニスタン人から聞かれた。話を聞く限り、現在のアフガニスタンにおける経済的困窮、女性の教育・就労などへの厳しい制限、治安状況などを総合的に踏まえると、ターリバーン内部の人間と分類される地位にある人以外にとって、アフガニスタンで暮らすことには大きな困難が伴う。そう考えると、国外に移住しようと考えるのは自然の流れであるように思える。

しかしながら、やっとの思いで逃れた移住先でも、アフガニスタン人の前には大きな問題が立ちはだかっている。滞在許可の問題、経済的問題、現地社会での差別の問題、等々である。母国で高等教育を受けたアフガニスタン人でも、イランで高収入の職を得られる機会は少ない。そしてその収入のほとんどは、母国に残した家族への送金で消えてしまう。いつか家族で一緒に暮らしたい、やり残した学業を続けたい、社会で認められる仕事をしたい。こういった願いを抱えつつ、多くのアフガニスタン人が、今もイランで苦しい生活を余儀なくされている。

アフガニスタン難民をめぐる国際的な状況

難民受け入れという負担を強いられる近隣諸国

アフガニスタンの政治情勢はカーブル陥落を機に大きく変わり、その影響は難民の増加という形で表れた。国連難民高等弁務官事務所（ＵＮＨＣＲ：United Nations High Commissioner for Refugees）によれば、アフガニスタン周辺六カ国におけるアフガニスタン難民の数は約二一〇万人である。二〇二一年八月以降に国外流出したアフガニスタン人（難民に限らない）の数は約一六二万人に上る。ターリバーンの復権を受けて、多くの国民が国を離れ、命からがら国外に逃げ出したということだ。なお、この数字には、近隣諸国以外は含まれておらず、欧米をはじめその他の国々に住むアフガニスタン難民を加えれば、そ

国名	難民数
パキスタン	1,316,257
イラン	750,000
タジキスタン	8,451
トルクメニスタン	9
ウズベキスタン	6
中国	–

図表10 隣国におけるアフガニスタン難民数（2022年12月31日時点）

（出所）UNHCR, *Afghanistan Situation*をもとに筆者作成。

の数はさらに増える。

国別に見ると、最も多くのアフガニスタン難民を受け入れている隣国がパキスタン（一三一万六二五七人）であり、これにイラン（七五万人）、タジキスタン（八四五一人）、トルクメニスタン（九人）、ウズベキスタン（六人）が続く（**図表10**参照）。なお、中国の記録は示されておらず、これは中国に逃れたアフガニスタン難民はいないか、記録されていないためと考えられる。

同じデータによると、カーブル陥落以降に隣国に到着したアフガニスタン人（難民に限らない）の数は、イランが最多（一〇〇万人）で、第二位がパキスタン（六〇万人）、これにウズベキスタンとタジキスタンが続く。これらからは、パキスタンとイランが、アフガニスタン移民・難民の最大の受け入れ国であるとわかる。これに加えて、紛争や政治的迫害などを理由として国内の避難先で暮らす国内避難民が、約三四〇万人いる。

もっとも、アフガニスタン難民は、ターリバーンの復権によって初めて生じたわけではない。ソ連侵攻を受けて、一九八〇年代、大量の難民がパキスタンをはじめとする近隣諸国に流出した。一九九〇年代、アフガニスタン難民の数は、最大時には六〇〇万人を超えた。今もパキスタン北西部の街ペシャーワルなどには、パキスタンでの生活に慣れ親しんだ難民二世、三世世代が暮らしている。

また、アシュラフ・ガニー政権時代（二〇一四～二〇二一年）にも、国内の治安悪化や深刻な失業などを背景として、イランや中央アジアを経由して欧州に逃れる若者が後を絶たなかった。当時内戦に苛《さいな》まれたシリアに次いで多かったのが、民主的な国家建設が進められていたアフガニスタンだったという、いわば異常な状況が見られたのである。如何にガニー政権が、外国の援助に大きく依存し、政府内部の腐敗が浸透し、未来ある若者に雇用を提供できていなかったかがわかる。それ以前はアフガニスタンであまり見られなかった、薬物依存症者数が急増したのもこの時期であった。これも将来への希望が持てない、当時の若者が置かれた状況と無関係ではないだろう。

難民の前に立ちはだかる様々な障壁

イランに逃れたアフガニスタン移民・難民の事例に限らず、国外に退避するアフガニスタン人の多くが様々な課題に直面している。そもそも、アフガニスタン国内に留まることができない、と考えるアフガニスタン人が多い背景には、深刻な経済的問題や悪化する人権状況等が挙げられる。

もとより外国からの援助に依存していたアフガニスタン経済だが、ターリバーン復権後、状況はさらに悪化した。国連開発計画が二〇二二年一〇月に刊行した報告書によれば、カーブル陥落からのただの一年間で、アフガニスタンの国内総生産は五〇億ドル減少し、一人当たり国内総生産は二〇二〇年から二〇二一年にかけて一四〜二八パーセント減少した(UNDP, *One Year in Review*, p.11)。外国援助機関の撤退や活動の縮小、並びに、援助の減少に伴う建設事業などの著しい不活性化によって、失業が一層深刻化した。同報告書によると、カーブル陥落からおよそ一年間で七〇万の雇用機会が失われたという(UNDP, *One Year in Review*, p.4)。

私の旧知の友人らからも、全く仕事が見つからない、何か仕事がないか、との連絡は頻繁に届く。カーブル陥落以前は、高等教育を受けた中産階級の若者の雇用を吸収する雇用市場が存在した。その多くは、国連機関、外国の大使館や援助機関、ＮＧＯ、民間企業等であった。しかし、これらの機関の多くが閉鎖、あるいは活動を縮小したことで雇用数が激減、中産階級が一気に貧困層に転落したような状況が出現した。干ばつや厳冬などの自然災害の影響も相俟《あいま》って、日々食べるものに事欠く人々が急増した。ナン屋の前では施しを待つ貧しい人々の姿が日常的に見られるようになり、寡婦《かふ》の中には生きるために子どもを身売りする事例も報告されており、こうした経済的困窮が多くの移民・難民を生み出す一因となっている。

もう一つの大きな問題は、ターリバーンが与える脅威である。ターリバーンによる大赦《たいしゃ》の表明とは裏腹に、実際には、多くの超法規的な殺傷行為、恣意的な逮捕・拘束、連絡の取れない拘束、拷問や不当な扱い、失踪、暴力の行使、および、残忍で非人道的な刑罰等が数多く報告されている（UNAMA, *Human Rights in Afghanistan*, p.13）。特に標的とされているのが、前政権だったイスラーム共和国の国軍、警察、情報機関等の治安部隊員、公務員、メディア関係者、人権団体関係者等である。

国連アフガニスタン支援ミッション（ＵＮＡＭＡ）が二〇二二年七月に発行した報告書によると、二〇二一年八月一五日〜二〇二二年六月一五日の間に、超法規的殺傷が一六〇件

（内、女性が一〇件）、恣意的な逮捕・拘束が一七八件、連絡の取れない拘束が二三件、そして拷問が五六件報告されている。一例として、北部サマンガーン州で元イスラーム共和国政権高官の警護官を務めていたある治安部隊員が、ターリバーン戦闘員によって家から連れ出され即時に射殺された事件が挙げられている。同様の、ターリバーン戦闘員による報復行為が多数報告されている。

また、国民抵抗戦線（ＮＲＦ）と関係があるとして、ターリバーン戦闘員によって拘束され、拷問を受けたり、場合によっては殺害されたりする事例も数多く報告されている。ＵＮＡＭＡによる前述の報告書によると、北東部バグラーン州や中央部パンジシール州でこうした事例が報告されており、例えば二〇二二年二月三日、バグラーン州のホースト郡でターリバーン戦闘員が民間人の男性を呼び止め、尋問の末、ＮＲＦと関係があると見做されて射殺された例がある。

この他にも、第二章で先述したように、ターリバーンによる女性に対する著しい権利の制限、メディア活動の抑制、抗議デモに対する暴力的な弾圧、ハザーラ人やタジク人に対する迫害、強制移住や強制結婚など、多くの問題がアフガニスタンから伝えられている。このような人権状況の悪化もまた、アフガニスタン移民・難民がカーブル陥落後に増加した要因となっている。

一方で、海外に逃れようとしたアフガニスタン人が、何の問題もなく外国に移住できるわけではもちろんなく、むしろうまくいかずアフガニスタン国内に留まらざるを得ない事例も多い。移住を希望する者が直面する問題には、そもそもパスポート取得に当たってのターリバーン内務省の不当な対応、ターリバーンの警備をかいくぐって国境まで移動する困難さ、高額な航空券やビザの手配等がある。そして、より大きな問題として、そうしたアフガニスタン人移民・難民を受け入れる第三国にホストを見つける困難さがある。

カナダやアメリカのように移民受け入れに寛大な国もあるが、それでも受け入れ国における厳しい審査が待っている。例えば、アメリカでは、アフガニスタン移民に対して特別移住ビザという枠を設けているが、申請者は在カーブルのアメリカ大使館で勤務していた事実を証明するべく、アメリカ人の当時のミッションの上長からの勤務証明書等の必要書類を揃えなければいけない。カーブルのアメリカ大使館は、さながらリトル・アメリカといった数千人が働く巨大な施設であり、ミッションの上長と直接連絡が取れるアフガニスタン人は限られている。アメリカ人スタッフと連絡が取れず、事務手続きが進められずに、移民を希望するにもかかわらずアフガニスタンに留まらざるを得ないアフガニスタン人も多い。

実際、アメリカへの移住を約束されアラブ首長国連邦（ＵＡＥ）にトランジットで移動したにもかかわらず、何カ月も収容施設に留め置かれる事例もある。二〇二二年二月には、ＵＡＥのアブダビにある移民収容施設で、アメリカへの移住許可が下りない数千人のアフガニスタン人が抗議行動を起こした例もある。欧米各国は、民主的な国家建設を推し進めた責任から、自国の組織で勤務したアフガニスタン人を受け入れるとの立場を一旦は表明した。しかし、実態が伴っていないのが実状だ。

　これに対して、ターリバーンの立場は、現在のアフガニスタンは外国の占領から解放されており、平和と治安が戻っている状況だというもので一貫しており、在外アフガニスタン人帰還・調整委員会を設置し、すべてのアフガニスタン人に帰国を呼びかけている。同委員会の呼びかけにより、アフガニスタンに帰国した元閣僚等は一定数おり、ターリバーンとしては過去四〇年間の戦乱がようやく終結したのだから、皆で復興に取り組もうとの立場を堅持している。しかし、現実には、多くの海外に逃れたアフガニスタン人は帰国後に、ターリバーン末端兵士による脅威や嫌がらせを受けることを恐れ、母国に戻ることを躊躇している。

　このように、アフガニスタン移民・難民の前には国内外を問わず様々な障壁が立ちはだかっており、彼ら・彼女らを取り巻く状況は厳しい。さらに、ロシアによるウクライナ侵攻を受けて、各国はウクライナ難民の受け入れに奔走しており、アフガニスタン難民への対応では後手にまわっている状況にもある。こうした中、日本政府のアフガニスタン難民受け入れにおいても、政府（外務省、出入国在留管理庁、等）の対応、難民の日本国内での就職先の確保、家族の教育、宗教や言語や文化などの違いを背景とした社会統合の困難さ等、多くの課題が挙げられる。

　日本を含む諸外国は、アフガニスタン難民を道義的に受け入れる責任があるが、その一方で法的・社会的に課題が多いという難しい状況に直面している。また、ターリバーンの脅威から逃れ庇護を求めるアフガニスタン人を、本人らの意志に反して無理矢理帰国させることができるはずもない。この問題はアフガニスタン国内に平和と安定が訪れない限り、燻《くすぶ》り続けると考えられる。世界で分断が進む中で、今後、同様の事例が増えることも予想されることから、ひとりひとりが真剣に考えるべき問題である。

コラム⑤　アフガニスタンの女性たち

アフガニスタンについてよく伝えられることとして、女子生徒の中・高等教育の制限や女子大学生の通学一時停止措置など、女性の人権侵害の問題が挙げられる。アフガニスタンの女性たちが置かれた状況への読者諸賢の関心は高いと思われ、本書でもこれについて触れないわけにはいかないだろう。

しかし、ここで、私自身、アフガニスタンの女性たちとほとんど接点を持ってこなかったことを正直に告白しなければならない。アフガニスタンの伝統的な価値規範では、女性の尊厳や貞淑を守ることが男性の名誉と直結している。したがって、外国人男性である私がアフガニスタンの女性たちと交流を深めることには、必然的に大きな制約が伴った。

赴任当初、私は、アフガニスタンの文化を尊重し、なるべく早く現地に溶け込めるよう配慮した。書物をひもとくと、アフガニスタンの男性は誇り高く、名誉を重んずると書かれていた。中でも、アフガニスタンにおける紛争の種は、「ザル・ザン・ザミーン、すなわち金・女・土地に集中」しているとよくいわれる（スペイン『シルクロードの謎の民』、五三頁）。つまり、現地で金・女・土地の問題に巻き込まれると、日本に生きて帰ることが危ぶまれるということだ。私はこうした部族文化を考慮し、アフガニスタンの女性たちに軽口を叩いたり、現地の男性から侮辱と受け止められたりするようなことは極力控えた。

当時治安状況が悪かった事情もあり、街中で女性たちを撮影した写真というものはほとんど手元に残っていない。そもそも、家庭に招かれても、男性の客人が会うことができるのは男性ホストと子どもたちだけ（年端のいかない少女が顔を出すことはある）というのがアフガニスタンではごく一般的である。

とはいえ、アフガニスタンの女性たちに関して、私の限られた知識の中で、多少なりとも言及しておく必要があろう。

まず、アフガニスタンの女性と一口にいっても、都市と農村、高等教育を受けた者とそうでない者、パシュトゥーン人とハザーラ人などの民族的差異によって、その特徴は大きく異なる点に留意が要る。

例えば、私が農村を訪れた時に、アフガニスタンの女性と握手して談笑した経験は一切ない。一方で、カーブル陥落後、日本に逃れてきたタジク人家族に東京を案内した際、アフガニスタン人の夫は私に妻を紹介し、私はその妻と握手し談笑した。その夫は北部バルフ州マザーリシャリーフ出身の獣医で、若い時分にインドで生活していたこともあった。このように都市部で生まれ育ち、高等教育を受け、外国生活にも馴染んでいる家では、女性の「顔」が垣間見えることがある。イランに移住したハザーラ人家族は、家の中で私に妻を紹介した。一般に、ハザーラ人は苦しい境地から抜け出す術なのか、教育に熱心なことでも知られる。このように、アフガニスタン社会には、安易に一括りにして説明できない複雑さがある。

アフガニスタン・イスラーム共和国政権時代、都市部における女性の社会進出と解放は著しく進んだ。大学を卒業して外国機関で働く女性たち、ロボット工学を学び国際大会で競う若い女性たち、国防省で高官を務める女性たち。欧米諸国の肝いりで女性課題省も設置され、男女平等の考えの下、教育・就労・社会などのあらゆる面で女性の権利拡充が進められた。ザーヒル・シャー国王時代のアフガニスタンでも、ミニスカートやワンピースで街を歩く若い女学生の姿の写真が残っている。

　これがアフガニスタン社会の一面であるならば、部族の慣習や掟を尊重し、女性の尊厳を厳格に守る部族文化も同じ社会のもう一つの側面である。パシュトゥーン人の部族慣習法の中には、「ナームース」という女性の尊厳、あるいは女性の貞淑を指す考え方がある。パシュトゥーン人社会では、他人の妻や娘に対していささかであっても関心を示すことは、相手のナームースを傷つける行為であると考えられる。男性同士の挨拶において、「奥さんのご機嫌はいかがですか?」という挨拶は聞かれない。相手の妻や娘の容姿や所持品を褒めることも御法度だ。

　首都カーブルに、アメリカン・ユニバーシティ・カーブル校があった。欧米の教授陣や、欧米で修士号、博士号を取得したアフガニスタン人が教える大学で、アフガニスタンの若者が憧れる大学だった。キャンパスの様子は、アメリカの大学そのままだったといってよい。男女交際も日常的に行われていたという。

　二〇一六年、このアメリカン・ユニバーシティが武装勢力によって襲撃される事件があった。自動車爆弾の爆発の後、正体不明の武装勢力が学生らを無差別に射殺する悲惨な事件であった。この武装勢力らは、アメリカの文化がそのまま持ち込まれたアメリカン・ユニバーシティという場所を、西欧の文化によるアフガニスタンの文化と慣習への侵略と捉えて実行に及んだと見られた。つまり、武装勢力らは、西欧の文化、とりわけ欧米の男女関係を軽佻《けいちょう》浮薄《ふはく》と断じ、アフガニスタンの文化にそぐわないと感じていた可能性がある（高橋「男女7才にして席を同じゅうせず」、五八〜五九頁）。

　このように治安事件という過激な形で表出するものもあれば、他人の妻と通じた男性が夫に殺されると同時に、浮気をした妻も夫に殺されるという刑事事件も多数報告されている。女性の尊厳と貞淑が侵された不名誉をはらすため、男性が自らの妻や娘に手をかけるのだ。俗に「名誉殺人」と呼ばれるもので、場合によっては母親が自らの娘を殺すこともあり得る。不名誉よりも死を選ぶことで、高貴な美徳の中に芳名が香り、その家の名誉が守られることになる。日本の感覚からすればにわかに理解し難いかもしれないが、アフガニスタンの一部ではこうした保守的で伝統的な社会が今もある。

　かつては、部族間で諍いが発生した際に、賠償金の代わりに女性を差し出す因習も存在した。この因習は、今も農村社会に残っているとされる。このような家父長制を基盤とする超保守的な社会を、外部の力で拙速に変革することには大きな軋轢と混乱が伴うところに、現在のアフガニスタンが直面する困難が集約されている。

翻《ひるがえ》って、少し前の日本でも「寿退社」と称して、女性は結婚とともに退職して家庭に入るべきとの保守的な考えが一般的だった。つまり、女性は出産、育児、家事を担う存在との社会通念がまかり通っていたということだ。日本でも、ひと昔前までは、女性が大学まで通うことに否定的な家は多かった。その日本でも、今や男女共働きや、女性の博士号取得がごく当たり前となった。アフガニスタンが抱える問題も、歴史を振り返れば、多くの社会が克服してきた問題だと思えば、少しは光明が見いだせるかもしれないと考えるのは楽観的に過ぎるだろうか。

第六章　陸封国の対外関係と日本が果たすべき役割

アフガニスタンの基本的な外交方針

時代を経ても変わらぬ独立の達成と維持の重要性

ターリバーン暫定政権が実効支配する、アフガニスタンを取り巻く国際的状況はどのようなものだろうか。これを知るため、ここではまずアフガニスタンの基本的な外交方針を素描したい。

「文明の十字路」の呼称が示す通り、アフガニスタンは中東、中央アジア、南西アジアを結節する地政学的要衝にあるため、歴史上、常に征服者の通り道となってきた。この地政学的条件は、その時々の為政者の属人的資質に関わりなく、アフガニスタン固有の外交姿勢を形成した。すなわち、アフガニスタンの基本的な外交姿勢は「国家の独立を達成し維持すること」であり続けた（Newell, “Foreign Relations,” p.76）。これは、力による領土と富の収奪が盛んだった帝国主義の一八世紀に、国家としての産声を上げたアフガニスタンが、ユーラシア大陸の中央部に位置する条件から考えれば、至極当然のことだったとはいえる。一方、異なる文明圏の狭間にありながら、国力の増強の途上にあったアフガニスタンが、列強の侵略を跳ね返し、独立を維持することは至難の業でもあった。

「鉄のアミール」と称されるアブドゥルラフマーン国王（在位一八八〇～一九〇一年）は、武力による国内治安の平定と、「極端な孤立主義」の二本柱によって独立を維持した（ユアンズ『アフガニスタンの歴史』、二三五頁）。同国王は、周囲から押し寄せる帝国主義に対抗すべく、英国とのつながりを重視した。当時、アブドゥルラフマーン国王の治世を脅かす存在として、各地での部族の反乱があったが、同国王は英国から自国の軍隊に対する資金と武器の援助を受け取ることで、この鎮圧に当たった。帝政ロシアからの脅威に対抗するためには、外国に過度に依存せず中立を守りながら、しかし英国からの庇護を受ける必要があることを、同国王はよく理解していたのだ。

一方で、アブドゥルラフマーン国王は、外国からの干渉がアフガニスタンを弱体化させることへの懸念も有していた。このため、例えばロシアと英国の鉄道敷設計画を「余の心臓に突きつけられたナイフ」と評して、鉄道も駅もボイコットした（ユアンズ『アフガニスタンの歴史』、二三六頁）。後に、このことがアフガニスタン国内での鉄道敷設を遅らせた一因ともなった。今でも、アフガニスタン国内を旅行する際には、徒歩や馬を除けば、自動車か飛行機を利用する他にない。

同国王の長兄ハビーブッラー・ハーン（在位一九〇一〜一九一九年）の治世を経て、アマーヌッラー国王（在位一九一九〜一九二九年）の統治が始まるが、同国王はアフガニスタンは自由な独立国であるとの信念の下、英国から決別を図る方向に舵を切った。こうした外交姿勢を掲げるアマーヌッラー国王は英国から補助金の打ち切りを受けたものの、英国の保護国という従属的な地位から脱することに成功した。これをもって、アフガニスタンはようやく公式に自由と独立を手中に収めたのである。

しかし、それまで長らく英国に依存していた国家財政の維持は難しく、アマーヌッラー国王は徴税を開始するようになる。同時に、同国王は、ヨーロッパと中東への大旅行中に受けた影響から、アフガニスタン社会における世俗化や女性の解放に代表される急速な近代化政策を推し進めた。この時、アマーヌッラー国王はソ連との関係の樹立も試みた。つまり、アブドゥルラフマーン国王とは反対に、もう一つの大国であったソ連に近づくことで、アフガニスタンの独立を護ろうとしたのである。

なお、イスラームに反した過激な近代化政策と、中央政府からの課税に抗議する部族らの反乱を受けて、アマーヌッラー国王は失脚し、その後も祖国に戻ることは叶わず客死することとなった。

た。二〇世紀の大半の期間、アフガニスタンが関係を深めたのはソ連だった。アフガニスタンは、一九一九年にソ連との国交を樹立し、立憲君主制期には政治・経済関係を中心に密接な関係を構築・維持した。特に、一九五三年のダーウード・ハーンの首相就任後、ソ連への接近は顕著となり、ソ連との全面的な軍事同盟を築くに至った。

経済面でも、ソ連からの支援によって、穀物用のサイロ、小麦粉製粉所、および、製パン所などが次々に建設された他、アフガニスタン北部と中央部とを結ぶ幹線道路の整備や要衝にあるサラング峠にあるサラング・トンネル建設も行われた。大きな製パン所は、今なお首都カーブルや北東部バグラーン州都ポレホムリなどに残されている。ソ連による支援でできたこれらインフラは、現在に至るまでアフガニスタンに存在し続けており、この意味でもソ連はアフガニスタンの基幹整備に貢献したといえる。その後、ソ連は一九七九年にアフガニスタンに侵攻し、一九八九年に撤退した。

一方で、二一世紀になると、今度は超大国アメリカの軍事介入と巨額の民生支援にアフガニスタンは翻弄されることになった。二〇〇一年九月一一日に発生したアメリカ同時多発テロ事件を受けて、米英有志連合は翌一〇月にアフガニスタンを空爆し、外部の力による体制の転換が図られた。第一次ターリバーン「政権」期とは打って変わり、アフガニスタン・イスラーム共和国政権下では欧米起源の政治体制である民主主義が導入されるとともに、女子教育の普及や女性の社会進出が積極的に推し進められた。

長年続く戦争に辟易とする国民の多くはこれらを歓迎はしたが、一方で巨額の援助が流入したことで汚職が蔓延し、中央政府の行政機能は停滞した。治安悪化も相俟って、政府から民心は離れ、失業問題が深刻となり、国を離れる若者が後を絶たなくなった。これに対して、外国軍を「占領者」と見做すターリバーンが傀儡政権と見做す中央政府を打倒すべく、激しい武装抵抗活動を続ける構図が続いた（詳細は第一章を参照）。

このように、アフガニスタンは、英国、ソ連、アメリカなど、その時々の大国の政治的思惑に左右されてきた。この基本的な構図は、同国の歴史を通じて見られるものであり、それは今後も本質的には大きく変わらないと考えられる。

ターリバーン暫定政権の対外政策方針

さて、こうしたアフガニスタンの基本的な外交政策の変遷を概観した上で、現在、ターリバーン暫定政権が掲げる基本的な対外政策方針を確認しておきたい。

ターリバーン暫定政権の掲げる対外政策方針をまとめると、第一に、ターリバーン暫定政権は、諸外国との尊重し合う関係構築を最重視している。各種声明や高官の発言からは、ターリバーン暫定政権が他国の内政に干渉する意図を有さず、同時に他国からアフガニスタンへの内政不干渉を求める基本姿勢を堅持しているとわかる。つまり、独立自尊を強く意識しているということだ。これは、陸封国であるアフガニスタンが国家運営していくに当たっての先人の知恵を活かしてのことだと思われる。

第二に、ターリバーン暫定政権は、近隣諸国と頻繁な要人往来・会談を行っており、これらの国々との良好な関係を望んでいる。具体的には、中国、ロシア、パキスタン、イラン、カタール、ウズベキスタン等の国々と密接な関係を築いている（本章後半で詳述）。

第三に、ターリバーン暫定政権の対外政策は、経済中心アプローチと呼べるものである。アフガニスタンに埋蔵される豊富な天然資源の埋蔵量を背景に、中国をはじめ諸外国からの投資を通じて外貨獲得を目指す方針を取っている。

第四に、二〇二〇年二月二九日にアメリカと締結したドーハ合意に基づき、ターリバーン暫定政権はアフガニスタンの領土を他国に危害を加える目的で使用させない公約を掲げている。この点は、アル＝カーイダ（ＡＱ）指導者のアイマン・ザワーヒリーがアフガニスタン国内で殺害（二〇二二年七月三一日）された後にも声明で述べられており、以降もことあるごとに強調されてきた。

そして、第五に、ターリバーン暫定政権は、在外アフガニスタン人の帰国呼びかけを繰り返している。ターリバーン暫定政権は、外国による占領が終わった今、アフガニスタンの治安は安定していると主張し、すべての者への恩赦を表明した上で、在外アフガニスタン人に帰国を慫慂《しょうよう》し、手を携えて国の復興に当たろうとのメッセージを発出している。

ターリバーン暫定政権の対外関係

立ち現れる「事実上の承認」

二〇二三年四月時点で、ターリバーン暫定政権を政府承認している国は、一つもない。しかし、ターリバーン暫定政権の地域での存在感は、時を経て高まっている。ターリバーン外務省報道官によると、ターリバーン暫定政権が派遣した外交官を受け入れ、大使館、ないしは、領事館業務を行っている国は、イラン、ウズベキスタン、カザフスタン、キルギス、カタール、中国、トルクメニスタン、トルコ、パキスタン、マレーシア、ロシア、アラブ首長国連邦（ＵＡＥ）の一二カ国である（*Voice of America*, February 27, 2023）。なお、ザビーフッラー・ムジャーヒド報道官は二〇二三年三月二五日、少なくとも一四カ国に外交官を派遣したと発言しており、ターリバーン暫定政権の対外関係が日々拡大する中、数値に変動がある可能性には留意が要る。

各国におけるアフガニスタン大使館の受け入れ状況を一瞥すると、ターリバーン暫定政権を事実上の統治主体として認め、大使館・領事館業務を担うことを認めているのは近隣諸国であるとわかる。内訳は、中国、ロシア、中央アジア四カ国、中東四カ国、南西アジア一カ国、東南アジア一カ国である。これらの国々は、カーブル陥落の直後にあってもアフガニスタンにある大使館の業務を続けた国々でもある。

ターリバーン暫定政権に大使館を引き渡したと大々的に報じられたのは、トルクメニスタンが二〇二二年三月一七日で最初だった（*Ariana News*, March 17, 2022）。次いで、ロシアが同年四月九日にモスクワのアフガニスタン大使館をターリバーン暫定政権に引き渡したと伝えられた（*Afghanistan Official Voice*, April 9, 2022）。そして、同年四月二日、今度は中国が北京のアフガニスタン大使館をターリバーン暫定政権に引き渡した（*Ariana News*, April 29, 2022）。

このようなターリバーン暫定政権に「事実上の承認」を与える動きは、その後も続いた。二〇二三年二月二七日には、在イラン・アフガニスタン大使館が、ターリバーン暫定政権が派遣したファズル・ムハンマド・ハッカーニー臨時代理大使を含む外交官七名に引き渡された（*Abdul Qahar Balkhi's Twitter Account*, February 27, 2023）。また、同年三月一四日にも、ターリバーン暫定政権がアブドゥルラフマーン・フェダーをドバイ総領事に新しく任命し、UAEがこれを受け入れた（*Tolo News*, March 15, 2023）。総じて、近隣諸国が中心となって、実効支配勢力ターリバーンとの関与を強める状況が生まれている。

なお、アフガニスタン周辺六カ国の内、ターリバーン暫定政権が派遣する外交官を受け入れていないのはタジキスタンのみである。この背景には、タジキスタンがタジク同胞を支持する立場から、アフマド・マスード指導者（タジク人）率いる国民抵抗戦線（NRF）に代表される反ターリバーン勢力の有力な受け入れ先となっており、ターリバーンとは緊張関係にあることが挙げられる。

アメリカの撤退後、じわじわと存在感を強める中国

欧米諸国がアフガニスタンから敗走を強いられた中、アフガニスタンで存在感を増してい

るのが中国とロシアである。

中国は、諸外国の中でターリバーン暫定政権との要人往来・会談を最も多く行った国であり、二〇二一年一〇月には、カタールの首都ドーハで王毅外相とターリバーン暫定政権のバラーダル副首相代行との会談を早期に実現させている。その後も、二〇二二年三月、アフガニスタン、パキスタン、中国の三カ国対話枠組み（外相級）を再開させた他（**写真６－１**）、同月には王毅外相自らがカーブルを訪問するなど、ターリバーン暫定政権とハイレベルでの接触を続けた。同月、中国は屯渓《とんけい》で「アフガニスタンに関する近隣七カ国外相級会合」を主催し、アメリカが後ろ盾となったアフガニスタン・イスラーム共和国が崩壊した後に生まれた空白を埋める姿勢を鮮明にした。

写真６－１　2022年３月に行われたアフガニスタン、パキスタン、中国三者外相会談

（出所）ターリバーン公式ウェブサイト（https://www.alemarahenglish.af/the-afghan-pakistani-chinese-fms-revive-tripartite-mechanism/）

中国は、中央部ローガル州のアイナク銅山

の開発に投資しているが、二〇二三年一月には中国新疆《しんきょう》中央アジア石油天然ガス集団が北部のアム川流域の油田開発に投資を表明するなど、ビジネス面での関与も強めている。中国にとっては、ウイグル族武装勢力がアフガニスタンを飛び板にして自国に危害を加えることは、安全保障上の脅威でもある。このため、大国間競争、政治、経済・貿易に加えて、テロ対策の面でもターリバーン暫定政権との協力が重要である。

さらに、中国は二〇二三年四月一二日に、一一項目から成る「アフガニスタン問題に対する中国の立場」と題する声明を発出し、アフガニスタン問題を主導する態度を示した。同声明において、中国は、アフガニスタンの独立・主権・領土保全、アフガニスタン人による民族自決、および、宗教的信仰とアフガニスタンの慣習への「三つの尊重」を表明した。同時に、中国は、アフガニスタンの内政に干渉しないこと、個人的利益を追求しないこと、および、勢力圏の確立を目指さないことの「三つの『せず』」を表明した。

この声明において、中国は、あらゆる政治派閥・民族集団を含む包摂的政府の成立を求めた他、女性、少数民族、子どもなどの社会的に弱い立場に置かれた人々の権利保障への期待を示した。また、同声明は、中国がアフガニスタンの復興と開発を支援すること、東トルキスタン・イスラーム運動に代表される国際テロ組織の掃討に協力すること、アメリカがアフガニスタン在外資産の凍結を解除すること、地域・国際レベルでアフガニスタン問題に関するコンセンサスづくりを図ること、難民問題の解決、麻薬対策などにも言及した。

改めて、中国がアフガニスタン問題に対する立場を公表した点からは、ロシアによるウクライナ侵攻で世界の分断が進む中、中国が戦略的要衝にあるアフガニスタンへの影響力を確保する必要を強く認識し、政府としての立場を固めたことがうかがえる。また、サウジアラビアとイランの国交回復合意（二〇二三年三月）に見られたように、中国は近年、中東地域において元来の経済外交に加えて仲介外交でも成果を出すなど、その活動範囲を広げている。中東ユーラシア地域でのデタント（緊張緩和）の動きは今後も続く可能性があり、中国がアフガニスタンでも仲介に乗り出す可能性はある。中国は、アフガニスタンの民族和解、そしてアフガニスタン人が一致団結した形での国の安定と発展こそが、中国ひいては地域の安定と発展につながると考えているのだろう。

国際会合を主催し地域秩序形成で存在感を見せるロシア

中国と同様に、アメリカの凋落《ちょうらく》を印象づけるカーブル陥落後、ロシアが影響力確保に向けて積極的な外交を展開している。カーブル陥落後、最も早いタイミングでアフガニスタン

写真6－2　2021年10月、アフガニスタンに関するモスクワ会合の様子

（出所）Russian Foreign Ministry/TASS/アフロ

に関する国際会合を主催したのがロシアだった。二〇二一年一〇月に、ロシアは「アフガニスタンに関するモスクワ会合」を主催し、ターリバーン暫定政権からハナフィー副首相代行を団長とする代表団を招待した（**写真6－2**）。この会合において、ロシアはターリバーン暫定政権がアフガニスタンの実効支配勢力である「新たな現実」に直面する中、新しい地域秩序の形成において主導的な役割を果たした。なお、近年、ロシア国内では、政府関係者のみならず企業関係者に至るまで現状を「新たな現実」または「新しい条件下の経済」と称して、多極世界が現れ、厳しい経済制裁が科される中でも生き残りを図る姿勢を見せている。

ロシアは、ターリバーン暫定政権との燃料・食料取引にも二〇二二年九月に暫定合意している。アメリカがアフガニスタン中央銀行の在外資産を凍結していることもあり、ターリバーン暫定政権は財政難に直面している。一方のロシアも、二〇二二年二月のウクライナ侵攻を経て、諸外国から厳しい経済制裁を科された。制裁で苦しむ両者が、お互いに貿易パートナーを必要とする中で結ばれた形だ。この暫定合意では、ターリバーン暫定政権は国際市場価格よりも低価格で、ロシアからガソリンを年間一〇〇万トン、ディーゼル一〇〇万トン、調理用ガス五〇万トン、小麦二〇〇万トンを輸入することになった。もっとも、これは純粋な経済的観点よりも、アフガニスタンで人道危機が進行する中、ロシアが人道的観点から手を差し伸べたと見ることもできる。

ロシアのターリバーン暫定政権との関与には、アフガニスタンに関する国際会議を積極的に主催する一方、要人往来・会談はあまり活発ではない点に特徴がある。中国が外相をカーブルに派遣したのに比して、ロシアは最高位でもカブロフ・アフガニスタン担当特使を二〇二二年三月に派遣したことがあるのみである。それ以外のケースでも、基本的にはカブロフ特使、あるいは在アフガニスタン・ロシア大使館が折衝をするに留めている。こういった姿勢からは、ロシアはターリバーン暫定政権を同格の外交パートナーと見做しているというより、アメリカが抜けた穴を埋め、大国間競争の文脈で利用しようとしている節が見て取れる。加えて、「イスラーム国」（ＩＳ）による活動の活発化や、麻薬密輸の増加への警戒も、ロシアの関与の背景にはあると見られる。

写真6‐3　カーブルを訪問したハミードISI長官（左）

（出所）パキスタン・ストラテジック・フォーラム公式Twitterより。https://twitter.com/ForumStrategic/status/1434098627429949448

隣国パキスタンとイランによる密接な関与

パキスタンはターリバーン暫定政権と、密接に関与している。カーブル陥落直後の二〇二一年九月、ハミード軍統合情報局（ＩＳＩ）長官がカーブルを訪問した様子が伝えられた他（**写真6‐3**）、それ以外にも、クレーシ外相（二〇二一年一一月）、ユーセフ国家安全保障顧問（二〇二二年一月）、ヒナ・ラッバーニー外務担当閣外相（二〇二二年一一月）、および、アースィフ国防相（二〇二三年二月）のカーブル訪問が行われた。これほど多くの政府高官をカーブルに派遣した国は、パキスタンの他にない。もとより、パキスタンは、仮想敵国であるインドと敵対した際、自国の西側に兵站供給地を確保するとの考え、「戦略的縦深性」の観点からアフガニスタンに親パキスタン政府を成立させることに腐心してきたといわれる。ターリバーンが反政府武装勢力であった時から、水面下で武器、資金、安息地などを提供してきたのがパキスタン軍部とも囁かれてきた。二〇二二年一一月には、アフガニスタンに関する国際会合をイスラマバードで主催し、各国のアフガニスタン問題担当特使、および、ターリバーン代表団を招き、アフガニスタン情勢について協議するなどした。

一方で、パキスタンとターリバーン暫定政権の関係は、必ずしも良好というわけではない。両国の間には、アフガニスタン難民の処遇、国境管理をめぐる係争、貿易・運輸、テロ対策など、多くの問題が横たわっている。とりわけ、ターリバーン暫定政権側は、パキスタン当局によるアフガニスタン難民の処遇が劣悪だとして批判するなどしている。また、デュランド・ラインと呼ばれる両国の国境線上では、パキスタン側が設置した人工建造物やフェンスをターリバーン戦闘員が破壊するなど、国境管理をめぐる係争も散発している。さらに、パキスタン国内でのイスラーム統治を標榜するパキスタン・ターリバーン運動（ＴＴＰ：Tahrik-e Taliban Pakistan）は近年攻勢を激化させており、パキスタン政府はＴＴＰがアフガニスタン領に潜伏してパキスタン側に危害を加えていると糾弾している。このように、両者は必ずしも友好的関係とはいえない状況だ。

イランもこれと同様に、アフガニスタンとは国境管理、アフガニスタン難民の処遇、ヘルマンド川の水利権をめぐる係争等を抱えている。それでも、両国間には緊密な貿易関係もあるため、頻繁な要人往来・会談が行われている。イランとターリバーン暫定政権との関与の大きな特徴は、イラン側が外相のみならず、エネルギー相、保健相、州知事等、幅広い分野の政府高官が対応に当たっている点だ。宗教・文化・言語等、多くの共通点を有する両国間には、共通の利害が存在しており、このため頻繁な接触と協議が行われている。

イランはカーブル陥落時より、一貫してアフガニスタンにおける包摂的政権の樹立を求めてきた。つまり、最大民族パシュトゥーン人のみならず、タジク人やハザーラ人など他民族の政治家が政権に含まれること、様々な政治派閥が包含されることを求めてきた。二〇二二年一月には、ターリバーン暫定政権のモッタキー外相代行がアブドゥルラヒヤーン外相とテヘランで会談したが、その訪問中にはイランの仲介によりモッタキー外相代行はNRFのアフマド・マスード指導者やイスマーイール・ハーン軍閥指導者と会ったという。

しかし、そのイランの対ターリバーン政策も変化しつつある。二〇二二年一二月、イランはゴミー・アフガニスタン問題担当特使（元駐イラク大使、元革命防衛隊ゴドス部隊所属）を駐アフガニスタン大使に任命し、先述の通り二〇二三年二月にはターリバーン暫定政権が派遣する臨時代理大使を受け入れる方向に舵を切った。

実は、筆者は二〇二二年八月にイランを訪問した際にアフガニスタン大使館を訪れたが、その時にはアフガニスタン・イスラーム共和国が派遣した臨時代理大使が勤務していた。大使公邸に飾られる国旗も旧政権の三色のものだった。確かに、その時点で既にターリバーン暫定政権が派遣した外交官が三名いたものの、大使館自体は旧政権が派遣した外交官の管理下にあったのである。

イランは、ロシアのウクライナ侵攻を経て世界の分断が進む中、アメリカの単独覇権への共同抵抗戦線を築く上でターリバーン暫定政権を重要な駒と見て関与を強めた可能性がある。これによって、中国、ロシア、イラン等の権威主義体制が、アフガニスタンをさながら扇の要のようにしながら、結びつきを深める状況が生まれている。なお、二〇二三年三月には、イラン・アフガニスタン貿易センターが設置されてもおり、両国の経済関係も強固である。

中東、中央アジア諸国による現実的アプローチ

また、中東諸国はターリバーン暫定政権と良好な関係を築いており、その筆頭格がカタールである。カタールは、二〇一三年にターリバーン・カタール政治事務所を開設して以降、和平協議の主催国として影響力を確保してきた。そして、アブドゥルラフマーン副首相兼外相が、二〇二一年九月には早々にカーブルを直接訪れ、カーブル国際空港の機能が麻痺する中でも積極的に技術支援を申し出るなど、当初から、カタールのターリバーン暫定政権との

写真6-4　2022年7月、ドーハで会談するタミーム首長（右から2人目）とヤクーブ国防相代行（左から3人目）

（出所）バフタール通信ウェブサイトより。
https://bakhtarnews.af/en/afghan-defense-minister-meets-with-emir-of-qatar/

関係は突出している。

二〇二二年七月には、ターリバーン暫定政権のヤクーブ国防相代行（創始者ムッラー・ウマルの息子）を招待し、タミーム首長が会談に応じるなど、異例とも呼べる厚遇をした（**写真6-4**）。国家元首がターリバーン暫定政権高官と会うのは、他にはUAEのムハンマド大統領のみである（相手はヤクーブ国防相代行）。両首脳がヤクーブ国防相代行を呼び寄せて会談したことからは、これらの国々が同人物を将来のターリバーン暫定政権の指導者と考えていることを示唆している。

各国がターリバーン暫定政権との関与を躊躇する中、カタールの他に、トルコもアンタルヤ外交フォーラム（二〇二二年三月）に、モッタキー外相代行を招待し、チャウシュオール外相が会談に応じるなど踏み込んだ対応を取った。トルコは、カーブル国際空港の運営管理権の取得にも関心を示した。なお、実際にカーブル国際空港の運営管理権を取得したのは、

ＵＡＥ企業のＧＡＡＣであった。同社は、二〇二二年五月、九月に、同空港の地上支援・航空誘導業務等の契約を結んだ。落札できなかったカタールとトルコにとっては悲報となった。

中央アジア諸国も、アフガニスタンに閣僚級の要人を派遣するなど存在感を示している。これは、中央アジア諸国とアフガニスタンとの間に、ガスパイプライン事業、鉄道敷設、電力供給等、隣国として喫緊の課題を抱えていることが背景にある。例えば、ウズベキスタンは、アフガニスタンへの主要な電力供給国である。そのウズベキスタンは、二〇二一年一〇月にターリバーン暫定政権のハナフィー副首相代行を招待し、ウマルザーコフ副大統領が会談するなど、現実的アプローチを取っている。その後、今度はウマルザーコフ副大統領自らが二〇二二年二月にカーブルを訪問してもいる。

同様に、トルクメニスタンも、トルクメニスタンからアフガニスタンおよびパキスタンを介してインドにつながる、ＴＡＰＩガスパイプライン事業の建設、両国を跨ぐ鉄道建設等の利害を共有する案件を抱えており、政治・経済関係は強い。二〇二一年一〇月には、トルクメニスタンのメレドフ副首相兼外相がカーブルを訪問した。

その他の国々との関係

反対に、近隣諸国の中でターリバーン暫定政権との関与が弱いのが、インド、サウジアラビア、タジキスタンといった国々である。

過去、インドはパキスタンの浸透を抑え込む狙いから、欧米が支援したアフガニスタン・イスラーム共和国政府の復興を支えてきた。インドが投じた援助額は三〇億ドルを越えるといわれており、主要ドナーの一つだったといえる。しかし、インドの思惑とは反対に、ターリバーンが復権を果たしたことで、インドは対アフガニスタン政策の練り直しを迫られている。インド政府高官のカーブル訪問は、二〇二二年六月のＪ・Ｐ・シン外務次官補だけである。パキスタンやイランが閣僚級で対応しているのと比べると、インドがターリバーン暫定政権との関与を抑えていることがわかる。

なお、インドは二〇二三年三月、ターリバーン暫定政権の外交官に研修を行う合意を締結した（*Express Tribune*, March 13, 2023）。外交戦でいわば後塵を拝しているインドだが、アフガニスタンへの影響力の確保に向けて準備を進めている。

また、サウジアラビアは、第一次ターリバーン「政権」時に比して関与を抑えている。この背景には、サウジアラビアが、ターリバーン暫定政権とＡＱのつながりへの懸念を有することがあり得る。サウジアラビアはＡＱとは基本的に敵対的関係にある。また、「イスラーム国ホラーサーン州」（ＩＳＫＰ）がアフガニスタン国内で活動を活発化させており、サウジアラビア権益に危害を加える懸念が取り沙汰されてもいる。サウジアラビアとしては、カタールやＵＡＥやトルコといった国々に任せて、一歩引いた対応を取ることが賢明と考えているのかもしれない（タジキスタンについては前述）。

また、ターリバーン復権後、アメリカとヨーロッパ諸国の存在感は薄まった。第一章で述べた通り、アメリカは二〇〇一年に軍事介入した上で、巨額の民生支援をアフガニスタンに投じた。ヨーロッパ諸国も、アフガニスタンを再びテロの温床にしてはならないとの掛け声に応じ、この動きに追従した。しかし、欧米が後ろ盾となったアフガニスタン政府は崩壊した。現状、欧米諸国にとってアフガニスタンで起こっていることは「敗戦処理」に相当しており、欧米各国は、近隣諸国と異なり、国家元首や閣僚級での対応をほとんど行わず、また国際会合を主催することもなくなった。多くの場合は、アフガニスタン問題担当特使や大使レベルでの抑制的な関与に留めている。

全体として、アフガニスタンにおいてアメリカを筆頭とする民主主義諸国の影響力が低下する一方、中国、ロシア、地域諸国の存在感が増している状況だ。

なお、国連やイスラーム協力機構（ＯＩＣ：Organization of Islamic Cooperation）等の国際・地域機関、並びに、赤十字国際委員会やアガ・ハーン財団等の慈善事業団体もターリバーン暫定政権に活発に関与している点も重要である。国連は、人権問題、人道援助を重視し、副事務総長、事務次長（政治、人道担当）、人権特別報告者を立て続けに送り込むなど、ハイレベルでの関与を続けている。また、ＯＩＣも国際会合の主催に加え、現地に事務所を開設した。ＯＩＣがアフガニスタン問題を重視する背景には、ムスリムとしての連帯を示すことや、アフガニスタンの平和と安定が地域の安定に結びつくとの考えがあるだろう。諸外国が政府承認を控える状況下、こうした国際・地域機関からの働きかけは重要であり、ターリバーン暫定政権への向き合い方を考える上では、これら機関との連携も充分考慮される必要がある。

また、各国がウラマー（イスラーム知識人）団を派遣しターリバーンと交渉する事例も散見される点には留意が要る。二〇二三年一月には、イスラーム諸国の高名なウラマー団（エジプト、スーダン、リビア、パレスチナ出身）がターリバーン暫定政権と女性の教育等について協議した。こうした宗教的紐帯を通じた関係構築も見逃すことはできない。

日本とアフガニスタン

　それでは、日本とターリバーン暫定政権との関わりはどのようなものであろうか。本章の最後に、日本とアフガニスタンとの二国間関係を概観しつつ、この点について描写してみたい。

二国間関係の概観とアフガニスタン人の親日感情

　そもそも、最初に日本人がアフガニスタンを訪れたのは、一九二二年のことであった。かつては、一九二五年の田鍋《たなべ》安之助《やすのすけ》によるアフガニスタン訪問が、日本人による最初のものと考えられていた。しかし、最近の研究では、当時インド駐在武官であった谷《たに》壽夫《ひさお》が、その三年前の一九二二年にアフガニスタン入りしていたことがわかっており、現在、谷がアフガニスタンを訪れた最初の日本人とされている。

　二〇世紀初頭、日本とアフガニスタンの関係構築の萌芽《ほうが》が見られた背景には、極東の日本が日露戦争（一九〇四年）に勝利したことで、アフガニスタンが日本に対して急激に関心を高めたことがある（関根編『日本・アフガニスタン関係全史』、四六頁）。当時、帝政ロシアの南下政策が正に推進されていた時であり、アフガニスタンは帝政ロシアと英領インドとの狭間で、自由と独立をかけて、揺れ動いていた。アフガニスタンにもたらされた、日本によるロシア撃破の一報が、彼の国の人たちに与えた衝撃は推し量るに余りある。インド駐在武官の谷がアフガニスタンを訪れたということは、日本軍としても国際政治が激動するその当時の状況下で、アフガニスタンとどのように向き合うべきかを真剣に検討していたことを示すものでもある。

なお、谷が残した報告書には、アマーヌッラー国王に謁見したこと、北部のマザーリシャリーフを訪れたこと、そして、アフガニスタン側が国交開設、貿易拡大を望んでいることなどが記録されている。

その後、日本とアフガニスタンは、一九二八年に国交開設に関する修好基本条約にロンドンで調印し、一九三〇年一一月に日本・アフガニスタン修好条約を締結（一九三一年七月に批准書を交換し発効）した。一九三三年、アフガニスタンが東京に公使館を開設し、一九三四年一一月には今度は日本がカーブルに公使館を開設した。

第二次世界大戦中に日本・アフガニスタン関係は大きな進展を見せなかったが、一九五五年には日本はアフガニスタンと国交を再開し、公使館は日本国大使館へと昇格した。

戦後の日本・アフガニスタン関係の中で、特筆すべきは一九七一年六月の皇太子（現上皇）夫妻のアフガニスタン訪問である。これは両国間の皇室外交が堅実に行われていた証左であり、皇太子夫妻はザーヒル・シャー国王らとの交流を深め、中央高地バーミヤーンで大仏をご覧になった他、北東部クンドゥーズ州でアレクサンダー大王の東方遠征時の史跡などを見学された。

一九七〇年代以降、アフガニスタンの政情不安とソ連の侵攻、それに続く血で血を洗う内戦とターリバーンの実効支配などがあり、日本とアフガニスタンの関係は停滞を余儀なくされた。

しかし、二〇〇一年以降、アメリカ同時多発テロ事件を契機として、日本におけるアフガニスタンへの関心が再び高まった。同事件では、民間人約三〇〇〇人が死亡したが、被害者の中には二四人の日本人も含まれていた。アメリカが始めた「テロとの戦い」は、アフガニスタンを飛び板にしてアメリカとその同盟国に危害を加える状況を未然に防ぐ取り組みとされ、日本にとってもアフガニスタンを如何に安定化させるかが、喫緊の外交・安全保障政策上の課題に浮上した。

二〇〇一年からの二〇年間、アフガニスタンの民主的国家建設の過程で、日本はアメリカやドイツなどとともに主導的な役割を担ったといってよい。アフガニスタンに関する東京会合を二〇〇二年、二〇一二年の二回にわたって主催し、諸外国間での民生支援のあり方を方向づける役目を果たした。外務省によると、日本が二〇〇一年以降のアフガニスタンに拠出した政府開発援助の累計金額は、六九億ドルを超える。日本は、草の根無償資金協力やＮＧＯ連携無償資金協力を通じた住民に寄り添った開発援助、国際協力機構（ＪＩＣＡ）を通じた技術協力、国際機関経由での様々な開発援助などを行い、アフガニスタンの戦塵《せんじん》からの復興を後押しした。

こうした経緯もあり、アフガニスタン人の間では親日感情が強い傾向がある。私が話した多くのアフガニスタン人は、日本は政治的目的ではなく真に人道的目的からアフガニスタンを支援した限られた国の一つだとの言葉をかけてくれた。そして、もう一つよく言われることは、アフガニスタンと日本は同じ年に独立を果たしたが、日本はアフガニスタンよりもずっと発展したので、日本人は真面目な国民でありアフガニスタン人は心から尊敬しているという話だ。アフガニスタンは一九一九年に独立したが、日本はそもそも独立という経験を持っていない。どこからこの民間の伝承が発生したのかは不明だが、この伝承が二国間関係の発展に寄与したことは確かである。

なお、日本の大学が、アフガニスタンにおける和解に向けた信頼醸成措置を図ったこともある。二〇一二年六月、同志社大学は、「アフガニスタンにおける和解と平和構築」と題する国際会議を主催した。この会議は、アフガニスタン政府がターリバーンとの和解交渉を緒に就かせることもままならない状況下、当時反政府勢力であったターリバーンの代表者、イスラーム党の代表者、そして、アフガニスタン政府高官を招き同国の将来について膝詰めで協議する有意な機会となった。その後、戦況が悪化する中、諸外国は、ターリバーンを何らかの形で政府側に取り込む形での和平を模索することになるが、この会議はその具体的な有り様を先見的に検討した、とても稀有な、そして日本が世界に先駆けてイニシアチブを取った場だったといえる。

また、日本は、未来への架け橋・中核人材育成プロジェクト（ＰＥＡＣＥ：Project for the Promotion and Enhancement of the Afghan Capacity for Effective Development）と呼ばれる事業の下、アフガニスタンのインフラや農業・農村開発分野の行政官や大学教員を日本の大学に研修員として受け入れる留学支援を展開した。これを通じて、多数のアフガニスタン人が日本に留学し、人と人との交流も生まれた。このように、日本とアフガニスタンの関係は、長い歴史に根差しており、また政治・経済関係のみならず人的交流によっても支えられてきた特徴を持つ。

　そして、ターリバーン復権後も、日本は欧米諸国とは一線を画し、ターリバーン暫定政権と良好な関係を維持している。日本はターリバーンがカーブルを陥落させる状況下、日本大使館を一時的に閉鎖し、二〇二一年九月にカタールの首都ドーハに臨時事務所を移転し遠隔活動を続けた。その後、二〇二二年九月末には、他国が躊躇する中、カーブルの大使館業務の一部を再開させた。日本が培っているターリバーン暫定政権との人脈は貴重なものである。また、日本による国連やＮＧＯを通じた大規模な経済援助も、対アフガニスタン政策形成の上で大きな外交資産となっている。カーブルでは、日本大使館とターリバーン暫定政権との頻繁な接触が行われ、包摂的政権の成立、女性の権利保障、国際テロ組織との断絶などの日本の懸念事項が伝えられている模様である。

中村哲医師、緒方貞子氏の残したもの

　もう一つ、日本とアフガニスタンとの間に良好な関係が築かれている背景として、二人の日本人に触れなければならない。これら偉人が残した業績が、アフガニスタンにおける日本全体に対する評判の向上につながっているからだ。

一人目は、二〇一九年一二月に東部ナンガルハール州で凶弾に倒れた、中村哲《なかむらてつ》医師である。中村哲医師は一九八〇年代初頭、日本キリスト教海外医療協力会からの声がけにより、パキスタン北西部のペシャーワルでの仕事を始めた。同地への赴任に伴い、一九八三年九月に発足させたのが、ペシャワール会である。

当初は、中村哲医師はハンセン病患者の治療に当たっていた。この時、パキスタンの国境の西側アフガニスタンでは、ソ連の侵攻に伴う戦闘が続いており、アフガニスタン難民への医療活動は喫緊の課題となっていた。そうした政治的状況の影響もあり、中村哲医師は一九九一年から、アフガニスタン東部ナンガルハール州のダラエヌール渓谷に診療所開設の準備を始め、アフガニスタンでの医療活動を展開することとなった。

しかし、戦争により国土が荒廃したアフガニスタンでは、食べ物不足で栄養失調になり、抵抗力が落ちた中で汚水を口にして感染症にかかった子どもを抱えた母親が、頻繁に診療所を訪れるようになった。中村哲医師は、アフガニスタン人医師の進言を受け入れ、自ら率先して清潔な飲料水の確保に乗り出した。こうして始められた東部での井戸掘り活動はその後も続き、結局、二〇〇六年までには約一六〇〇カ所で井戸が掘られ、住民の生活の建て直しと定住化に成功した（中村『天、共に在り』、八八頁）。

それでも、清潔な飲料水があるだけでは、農業の復興には不充分である。中村哲医師は二〇〇三年、干ばつが進む中、農村の復興を目指して、灌漑用水路の建設に着手することとなる。暴れ川である大河川クナル川から取水し、農業用地に供給する灌漑用水事業が始められた。

ペシャワール会の灌漑用水事業では、日本古来の伝統技術が活かされている。福岡県に山《やま》田堰《だぜき》と呼ばれる斜め堰があり、暴れ川である筑後川から取水することを可能にした。中村哲医師は、地図を見ながら、この山田堰が、ペシャワール会が取り組んでいる取水口と地形によく似ていると気づいた。この技術の導入が、東部ナンガルハールの農村復興を成功させる鍵となった。

また、中村哲医師は、仮に用水路が自然災害で破損したとしても、地元民が自分たちで維持補修できるよう、蛇籠工《じゃかごこう》と柳《りゅう》枝《し》工《こう》という技術を採用した。蛇籠とは、金属でできた枠組みに石を積み上げる護岸の用具で、これであればアフガニスタンの地元民でも補修することができた。また、蛇籠の背面に柳の木を植えることで、根が蛇籠の中の石の隙間に入り込み、さらに強靭になる。

開発援助の世界では、往々にして最先端技術を開発途上国に導入したはいいが、故障した際に部品を海外から調達しなければならないといった失敗例が報告される。中村哲医師は、アフガニスタン人が主体性を持ち、技術的にもそれを維持管理できる持続可能な体制をつくったのだ。これによって、草木一本生えなかったガンベリ砂漠に緑が戻り、パキスタンに避難した住民たちも村に戻り、農業にいそしむ生活を取り戻した。

　中村哲医師らの地元民に寄り添った活動は、アフガニスタン人の称賛を浴びた。私がアフガニスタン人と話している時に、相手が私のことを日本人だと知ると、「ナンガルハールにいる中村医師を知っているか？」と聞かれることもしばしばだった。私が二〇一二年に日本大使館の書記官としてナンガルハール州知事庁舎を訪れた際、同州の州議会議員らが中村哲医師が地元にもたらした恩恵を滔々《とうとう》と語り、感謝を伝えてくれたこともあった。

　こうした中村哲医師の偉業はアフガニスタン政府にも認知されることとなり、二〇一八年二月にはアシュラフ・ガニー大統領から勲章を授与されるに至った。他者のため、社会のために滅私奉公する中村哲医師は、アフガニスタンで尊敬を集めた。

　二〇一九年一二月、中村哲医師は武装勢力に銃撃され、帰らぬ人となった。アフガニスタンからの衝撃的なニュースに、日本国内は騒然となった。多くのアフガニスタン人が、中村哲医師の家族と日本国民に弔意とお見舞いを伝えた。今なお、中村哲医師の活動は、アフガニスタンの人々に恩恵を与え、生きる力を与えている。そして、日本人の私もそのことから裨益《ひえき》している。中村哲医師が残したものは、とてつもなく大きい。

もう一人の偉人は、一九九一年から一〇年間、国連難民高等弁務官を務めた緒方貞子氏である。冷戦が終結した当時、国家間紛争の脅威は低減した一方で、民族、宗教、社会的要因を背景とした国内紛争が次々と火を噴き始めていた。こうした紛争の影響を最も受けたのが、罪のない一般市民であり、多くの人々が難民として移動を強いられた。

その当時、難民条約によって、難民は「国境の外に出てきた人」と定義されていた。しかし、実際には、国内に留まりながらも戦禍や迫害から逃れる大量の人々が発生していた。こうした「国境から出てきていない人々」を、UNHCRは保護・支援できるのだろうか。緒方貞子氏は困難に直面しながらも、二〇〇三年のイラク戦争開戦時、イラク国内にいたクルド難民を救済するべく、こうした人々の支援に当たる画期的決定を下した。緒方貞子氏は、自身の著書において「私の判断の拠り所となったものは、ただひとつ、彼らを『救わなければならない』ということであった。この基本原則（プリンシプル）を守るために、私は行動規範（ルール）を変えることにした」と述べている（緒方『私の仕事』、一三頁）。

緒方貞子氏は、従来、安全保障が国家に焦点を当てていたのとは対照的に、人間と社会に焦点を当てた人間の安全保障という考え方を普及させた人物でもある。この考え方は、国連開発計画の一九九四年版人間開発報告書に初めて登場したものである。当時、冷戦の終結に伴い、民族紛争が多発していた。緒方貞子氏は、冷戦が終わって国家間紛争の脅威は減った一方で、内戦が増えて、虐殺される人々、テロ、難民や国内避難民が増えたとの認識の上で、人々の生存、生活、尊厳を守ることを最優先した。人間の安全保障では、脅威に晒される人々の命を保護する活動と、貧困、飢餓、感染症、紛争等を生み出す構造的問題を解決する開発援助に関わる活動とを、互いに連携させる相互依存性の向上が重視された（野林・納家『聞き書　緒方貞子回顧録』、二四五〜二四九頁）。これは、難民支援の現場で指揮を執っていた緒方貞子氏だからこそ発想し得た概念といえるだろう。

緒方貞子氏は、難民支援における既存の行動規範の変更と、人間の安全保障の提唱という、二つの大きな業績を残した。これらは、アフガニスタンの人々の命を救うことや生活の改善に大きく役立った。

さらに、同氏は、アフガニスタンの復興支援を牽引する役割を担った点が特筆される。一九九〇年代、ソ連侵攻に伴って大量のアフガニスタン難民が出現していたが、諸外国の関心は湾岸戦争やアフリカやヨーロッパの民族紛争に移り、アフガニスタン問題は忘れられようとしていた。「国際社会がアフガニスタンを見捨てた」との思いを有していた緒方貞子氏は、アフガニスタン支援総理特別代表に任命され、日本政府代表としてアフガニスタンの戦後復興を率いていく役割を担った。日本が、民生支援分野で大規模なアフガニスタン支援を行うことができた背景には、緒方貞子氏の過去の教訓を踏まえた熱意も大きな影響を与えた。

アフガニスタンで果たすべき日本の役割

このようにアフガニスタンと歴史・経済・社会等で重層的な関係を有する日本は、欧米諸国とは異なるアプローチでアフガニスタンと向き合うべきではないだろうか。アフガニスタンはアフガニスタン人の国であり、外部者ができることは、彼ら・彼女らの自助努力の意志を側面的に支援することだけである。実際の問題として、アフガニスタンにおいて、外部者が理想と考える政治制度や思想を押しつける形での国家建設は成功しなかった。ここから学ぶべきことがあるはずである。

日本が取るアプローチは、欧米諸国のような自らが正しいと考えることを強要するのではなく、現地主義に根差した現実的なアプローチであるべきだと思われる。例えば、隣国ウズベキスタンや、中東のトルコのような、アフガニスタンを共通の利害を抱えるパートナーとして、ともに問題解決を考えるような取り組み方である。実効支配勢力ターリバーンの統治を一方的に認めたり擁護したりすることはできない。しかし、実際、アフガニスタンでは貧困や干ばつで、日々食べるものにも事欠く人が大勢いる。そうした問題について、アフガニスタンの独立、主権、領土の一体性といったものを尊重しつつ、できる手助けをすることが大切なのではないかと思う。

この上で、中村哲医師が示した、日本の技術を活かした和洋折衷の考え方と、持続可能性を重視するアプローチからは学ぶべきことが多くある。アフガニスタンでは、同国固有の伝統的統治手法や、イスラーム的統治手法、そして過去二〇年間に育まれた民主的統治手法とを折衷する努力が必要だろう。そして、いずれ外部者は去るのだから、アフガニスタンの人々が主体となって復興してゆける仕組みをつくることが重要だ。そのための知恵を編み出す手伝いが求められる。

繰り返しになるが、アフガニスタン人は一般的に、真に人道的観点から支援してきた日本に対する信頼を強く有している。こうした日本の平和的イメージが、現場で働く援助関係者の命を守ってきた面は確実にあることから、今後も政府開発援助の非軍事原則は堅持されるべきである。そして、中立的な日本として、アフガニスタン人同士の民族和解に向けた信頼醸成措置のお手伝いができれば、日本にとって大きな外交的成果となるだろう。日本がこれまで培ったターリバーンとの人脈、反ターリバーン勢力との人脈を最大限に活かす機会がきっといつか訪れるだろう。

終　章　自己の模索への旅

アフガニスタンとは何か

民族自決とオーナーシップ原則

本書を通じて、アフガニスタンの歴史・政治・社会的側面に目を向けながら、同国の実像に迫ってきた。ターリバーンが発する声明などを確認しつつ、同勢力が掲げるイスラーム統治の原則が理解された。その一方で、ターリバーン支配はアフガニスタン人の自由と独立を脅かしているとして、必死に武装抵抗活動をする人々の姿がそこにはあった。多くの国民が故郷では暮らせないとして、国を離れた。

アフガニスタンは、文字通り、アフガン人の国（〝アフガン〟に「〜の多い場所」を意味する接尾語〝スタン〟をつなげた言葉）である。アフガニスタンにおける恒久的な平和と安定のためには、アフガン人による民族自決（self-determination）が原則となる。

ここで大きな疑問が生じる。アフガニスタンの将来を自決すべき主体は一体誰なのか？そもそも、アフガニスタンとは何なのか？

国連憲章第一条第二項に、国際連合の目的の一つは「人民の同権及び自決の原則

（principle of equal rights and self-determination of peoples）の尊重に基礎をおく、諸国間の友好関係を発展させること」と書かれている。ここにある通り、現行の西洋主体の国際秩序では、ある領域（国民国家）に暮らす人民が、自らを代表する統治者を同一のものと見做す、すなわち自分のことは自分で決める状態が望ましいと考えられている。

こうした考えが一般的になった背景には、二〇世紀後半の脱植民地化の動きがある。外部の力によって領土や富を収奪する植民地時代を経て、植民地に暮らす人民が西洋人の支配に対して、民族自決を求めるに至ったのは自然の流れといえる。現代の国家建設に関わる理論では、こうした考えをオーナーシップ原則と呼び、とりわけ外部からの力で紛争（後）国家の再建を目指す「テロとの戦い」の時代にその重要性が認識された。

それでは、アフガニスタンという国の将来を自決すべきは誰なのだろうか。この問いに答えるならば、当然、それはアフガン人であるはずである。しかし、歴史的にはアフガンがパシュトゥーン人を指して用いられたことがあり、狭義の定義において、アフガン人とはパシュトゥーン人である。つまり、最大民族パシュトゥーン人の中には、アフガニスタンを治めるべき主体、あるいは少なくとも指導的地位にあるべき主体はパシュトゥーン人だと捉えているものもいる。実際、歴史を振り返れば、パシュトゥーン人以外でアフガニスタンの為政者となったのは二人のみであり、その他はすべてパシュトゥーン人指導者が国を支配した。

その一方で、アフガニスタンに暮らすその他の民族、例えばタジク人やウズベク人やハザーラ人、それにシーク教徒なども、本来、等しくアフガニスタン人であるはずである。現代に広く定着した広義の定義において、アフガニスタン人とはアフガニスタンに暮らすすべての人民である。であればこそ、アフガニスタンをアフガン人の国であらんとして、ターリバーンによる単独支配に抵抗する人々がいる。他方で、アフガニスタンをアフガン人（パシュトゥーン人）の国であるとして、ターリバーンが少数者から排他的と受けとめられかねない政策を実行している。ここに、アフガニスタンが直面する大きなジレンマが存在している。

自決が主張された地域において、自己（self）が誰のことであるのかを厳密に検証することはほぼ不可能である。元来、自己に関する共通理解を持ったことがない人々が、植民地支配から解放された瞬間に、自己性を自動的に獲得できることなどあり得るはずがない（篠田「国家建設の戦略的指針としてのオーナーシップ原則」、七〇～七一頁）。同じように、外部の巨大な力が、ある国を実効支配する強権的な体制を転換せしめた時に、新しい現実に直面した人民（peoples）が自動的に自己性を獲得できようがないのである。

アフガニスタンが恒久的な平和と安定を手に入れるためには、アフガニスタン人が時間をかけて、自己に関する共通認識を醸成しなければならない。しかし、このことは、文明が交錯する陸封国、かつ、モザイク状に多民族が暮らすアフガニスタンにおいて、言うは易く行うは難しである。民族は問題の一端で、思想・政治的側面もあるのはいうまでもない。

各々の社会ごとに異なる固有の尺度

ところで、鯨尺《くじらじゃく》というものが日本にはある。鯨尺とは、江戸時代から使われていた裁縫用の物差しのことで、尺貫法の一尺二寸五分（約三七・九センチメートル）を一尺とする。名称は、鯨のひげで作られたことによる。和服を作るにはメートル法ではなく、鯨尺がぴったりする。和服の採寸にセンチ尺を使うと、二八センチ三ミリ半など端数が生じてしまうのだ。しかし、もしうまく合わないからといって、センチ以下、あるいは五ミリ以下を切り捨てて和服を作ってしまったら、伝統的な和服とはほど遠いものとなる（中根『タテ社会の人間関係』、一二～一五頁）。

同じように、暦も国によって異なる。すぐに思い浮かぶものでは、西暦と和暦の違いがある。例えば、西暦二〇二三年といえば、世界中の誰にも通じる便利さがある。一方で、天皇の即位、歴史的には天変地異の際などにも、元号を変える和暦では、同年は令和五年に当たる。この和暦には、日本人特有の手触りがある。明治、大正、昭和という元号から想起されるイメージ、平成や令和が与えてくれる感触が確かにそこにある。

アフガニスタンではアフガン暦と呼ばれるヒジュラ太陽暦が用いられ、一年の初めは三月二一日の春分である。紀元は、預言者ムハンマドの聖遷《せいせん》（ヒジュラ）に置かれる。西暦二〇二三年は、アフガン暦では一四〇一／一四〇二年に当たる。度量衡《どりようこう》も、日本とは異なり、独自の単位が使われる。市井の人々は、市場で買い物をする際や土地を測る際に、現地の度量衡を使用するため、地元民の生活に密接に関わっているものだ。

考えてみるに、世界中のあらゆる社会に、日本にとっての「鯨尺」のような、各々に特有の社会の尺度があるのではないだろうか。

ここで、私は、度量衡や暦のような具体的なことを言いたいのではなく、人間同士の関係性や社会構造のあり方といった、より抽象的な意味合いを指している。日本社会には日本特有の「鯨尺」があり、アフガニスタン社会にはアフガニスタン特有の「鯨尺」があるように私には思われる。それはグローバル化が進みヒト・モノ・カネの行き来が急速に加速する現代にあっても、各々の社会に強固に備わっているもののように思われる。本書で触れた、アフガニスタン社会特有の現象というものも、このように理解されるだろう。

私は、このような各々の社会にある「鯨尺」を大切にした国づくりが重要ではないかと思う。確かに、人民が自身の国の将来を決める民主主義や、男女平等を含んだ基本的人権、法の支配、市場経済などは、素晴らしいものではある。私自身、その恩恵を享受しながら日本で暮らしている。これ自体を否定することはできない。

一方、固有の合議制、家父長制を基盤とする伝統的部族社会、人々が信仰する宗教に根差した司法制度が適用される地域・国において、西洋起源の制度や思想を外部の力でもって導入することが正しいことであるのか、私には正直わからない。西洋で生まれたもので他国のことを測るのは、いわばセンチ尺でもって和服の寸法を測るようなものだ。二〇二一年八月一五日にアフガニスタンで起こった衝撃的な出来事は、アフガニスタン人が主体となった国家建設とはどうあるべきなのか、私たちに対して大きな疑問を投げかけるものだった。

各々の社会にある「鯨尺」に沿った、現地の文化を尊重した国家建設が今必要ではないか。アフガニスタンにおいても、人々の間で自己性をめぐる議論を重ねた上で、同国の伝統と慣習と宗教に根差しつつ、なおかつグローバルな人権規範に則した自由主義的な価値も取り入れた折衷的な国家運営がなされるならば、人民が納得して暮らせる社会が訪れるだろう。もっとも、これは、その「人民」が誰を指すのか、アフガニスタンの人々の間でコンセンサスが形成されてからの話ではある。日本社会がそうであるように、アフガニスタン社会にも西洋起源の自由主義的価値を受け入れる人もいれば、そうでない人もいる。「現地の人々」や「現地社会」といった表現で物事を過度に一般化することには慎重さが求められる。事象の文脈や複雑さに思いを馳せる眼差しが重要だ。

揺れ動く国際情勢とアフガニスタン

二〇二二年二月二四日のロシアによるウクライナ侵攻を経て、世界の分断が進んでおり、同問題とアフガニスタンとの関係について考えないわけにはいかない。現在、ロシアの侵攻を非難する主要七カ国(G7)と、ロシアに対して中立的な立場、ないしは支持する立場を示すグローバル・サウス(途上諸国)との間で分断が生じている。

アフガニスタン政権崩壊が、ロシアによるウクライナ侵攻を間接的に招いたとの見方もある。つまり、アメリカがアフガニスタンからの軍完全撤退を選択したことで、アメリカの中東ユーラシア地域での力が弱まり、アメリカの凋落を確信したロシアのプーチン大統領がウクライナ侵攻を決心したというものだ。この仮説が正しいかについては、仔細な検証を要する。しかし、アメリカが「テロとの戦い」のために中東に過剰な軍事的関与をした反省から、オバマ政権期から「出口戦略」を模索してきたことは確かである。

この意味では、アメリカの中東からの撤退は、トランプ政権やバイデン政権が、歴代アメリカ政権から逸脱した対中東政策を採ったというよりは、アメリカの中東政策の構造的転換を背景として行われたといえる。

アメリカのアフガニスタンからの軍完全撤退の報を受けて、アメリカは世界の警察として他国の内政に干渉したり、他国の体制を転換させたりする余力がないとの印象を与えた。ミドル・パワーの国々がもはやアメリカからの軍事的後ろ盾に頼ることはできないだろうとの状況認識を、ロシアや中国等の大国の指導者に抱かせたことは確かだろう。アメリカの肝いりで民主的国家建設が進められたアフガニスタンから、アメリカが足抜けするとわかったことが、ロシアによるウクライナ侵攻の判断に影響を与えた可能性があるとはいえそうである。この意味で、歴史を繰り返すかのように、アフガニスタン情勢の変化は、国際政治に大きな影響を与えた。

逆に、アフガニスタンは、「その時々の世界の実像を映す鏡」（川端『アフガニスタン』、一頁）といわれるように、変動する国際政治の影響を受けた側面もある。近年、中国やロシアが台頭し、アメリカが警戒を強めていた。中国は、東シナ海や南シナ海で拡張主義的な行動を繰り返し、また一帯一路の下で中東ユーラシア地域での影響力を拡大させてきた。ロシアは、二〇一四年のウクライナ政変に乗じてクリミアを併合するなど、中国と同じように「力による現状変更の試み」を講じてきた。

アメリカが、こうした強権化するロシアや中国と対峙するために、軍事力を結集させる必要があると判断して、アフガニスタンを含む中東から撤退を決めた可能性はある。アメリカにとって、対外的に過剰な軍事展開（オーバー・ストレッチ）をしておらず、いつでもロシアや中国に全力で対処できる状態が、アメリカの軍事力が最大の時だからである。

この点では、今度は国際政治の揺れ動きが、文明が交錯するアフガニスタンの上に投影される状況が現れたともいえる。

私には、アフガニスタンで鳴った号砲が、国際政治の変動を呼び起こしたように思えるのである。

将来への希望

「帝国の墓場」という呼び名や同地から伝えられる報道などから紛争のイメージが付きまとうアフガニスタンだが、実際は自然に富み、豊穣な文化を涵養し、多様な人々が共生する豊かな国である。一九七〇年代に政治的混乱に突入する以前は、農業立国として野菜、果物、羊毛などの農畜産品を輸出して外貨を獲得していた。風光明媚な名所に触れ、素朴な人々との触れ合いを経験しようと多くの旅行客が訪れた。その時代、争いは少なく、貧しいけれども豊かであったという。アフガニスタンがかつての平和と安定を取り戻すことを、多くのアフガニスタン人が夢見ている。

アフガニスタンの平和は、地域、および国際的な平和と安定にも資するものだ。文明が交錯する地点であるが故に、不安定なアフガニスタンは、ユーラシア大陸の連結性のミッシング・リンクとなる。アフガニスタンが安定化し、人民を代表する政府が諸外国との関係を取り結び、国際輸送網に加わって貿易活動を活性化させ、多くの人々が治安の不安なく行き交うことができるようになれば、アフガニスタン一国のみならず、中東、中央アジア、南西アジアを含む地域一帯が経済的繁栄や安定を享受できる。テロの温床が壊滅されれば、国際的な安定にも貢献することになる。

これに向けては、アフガニスタン人同士がいがみ合うのではなく、対話と妥協を通じて、包摂的な体制を築くことが望ましい。確かに、外国による占領統治ではなく、アフガニスタン人が主体となって国家運営する状態は望ましい。ターリバーンは外国からの支援を受けていたもののアフガニスタン土着の政治運動としての顔を持っており、ターリバーンがアフガニスタンを外国による占領から解放したのだと主張するには根拠がある。他方、ターリバーンによる報復殺人、強制結婚、強制移住、人権侵害、国際テロ組織との関係継続などを看過することはできない。

さらに、アフガニスタン人民を困窮させている問題の一つに、こうしたターリバーンによる統治を是としないアメリカなどの諸外国が、アフガニスタンの在外資産を凍結していることが挙げられる。諸外国はターリバーンを正統な統治主体と認めない一方で、ターリバーン側は国の発展に必要だとして凍結資産の解除を要求する。お互いの議論がかみ合わない平行線の状態が、長らく続いており、今後も続いてしまう可能性がある。

ターリバーンは、アフガニスタンを外国から解放し、イスラーム統治によって治安と公正をもたらすとの目標を掲げて活動してきた。その活動を可能とするため、隣国などからヒト・モノ・カネ等の大量の資源が提供された。この強靭なターリバーンを転覆させることは容易《たやす》いことでない。モザイク状に多民族が暮らし、峻険な褶曲山脈《しゅうきょくさんみゃく》と広大な土漠を擁し、周囲を六カ国に囲まれた陸封国アフガニスタンを統治することはこの上なく困難である。こうした背景から、ターリバーンがなかば強権的に国を束ねている、あるいは他の統治主体による統治の失敗からそうならざるを得なかったというのが実情だ。なお、この混乱の責任の一端は、過去五〇年近く、アフガニスタンを政争の舞台としてきた諸外国の側にもあることを忘れてはならない。

今の膠着状況を抜け出すためには、アフガニスタンで包摂的な体制が築かれる、女子生徒が学校に通えるなどの、抜本的な変化が起こらなければならないだろう。そのために、ターリバーンや国民抵抗戦線などのアフガニスタン人同士が、時に第三者の仲介を得ながら、お互いに手を取り合い、よりよい将来に向けて一致団結する必要がある。ザーヒル・シャー国王時代のアフガニスタンは、地域で最も進んだ国の一つだったという。今、ひとりひとりがプライドを捨てて、私欲を抑えながら、国のために奉仕する必要がある。この実現には、諸外国から公に姿を見せないアーホンドザーダ指導者への直接的働きかけや、識字率を向上させるといった地道な取り組み、そして多様性を認め合える社会づくりに向けた家庭内・学校教育の充実も並行して必要となろう。

幸いにも、サウジアラビアとイランの国交回復合意（二〇二三年三月）に見られるように、中東ユーラシア地域では緊張緩和の動きが見られる。アメリカが抜けた穴を埋めるかのように、中国が仲介外交でも存在感を増している。この動きがアフガニスタンにも波及するならば、仲介役が誰であれ、和解は待たれることである。先の道のりは未だ長いが、アフガニスタンに恒久的な平和を築く営為を中途で諦めてはならない。

あとがき

私がアフガニスタンに興味を持つようになったのは、二〇〇四年に英国の大学院に留学している時、修士論文のテーマにアフガニスタン難民を選んでからである。当時、アフガニスタンは世界で難民を最も多く出していた国だった。私が住んでいたイングランド中部ブラッドフォードにはパキスタンからの移民ムスリムが多く住んでおり、私にとってその時がイスラームとの初めての遭遇でもあった。

治安の問題から、私が留学中にフィールド調査に行くことは叶わなかったが、帰国後、私はNGOに就職してカーブルに赴任し、それ以降ずっとアフガニスタンに関わることになる。

故・緒方貞子氏が「ひとことで言ってしまうと、国際社会はアフガン難民を『見捨てた』」(東野『緒方貞子』、一三六頁) と言ったように、大国の利害に翻弄され、国際社会から見捨てられたアフガニスタンが、心の琴線に触れた。その時々の超大国から侵略を受けながら、一度も屈伏することなくすべて撃退した歴史に興味を持った。それ以来ここまで長くアフガニスタンに関わることになるとは思っていなかったが、二〇年近く同国に関わっていることになる。

アフガニスタンに関しては、政変や紛争についての報道ばかりが目立ち、現地の人々の生活が見えにくいと感じていた。アフガニスタンは多民族国家であるが故に、なにごとも一般化することができない、多様な面を持っている。こうした事情から、本書では、政治動向や対外関係といったことに加えて、極力アフガニスタン人の「顔」が見えるよう配慮した。章の間に挟んだコラムは、そうした意図を持って執筆した。また、本書のレーベルが掲げている「知は、現場にある」との考えの下、自分自身の体験談や、よりよい将来に向けた提案もなるべく盛り込むよう努めた。

第四章は、旧知の友人である安井浩美氏（共同通信カーブル支局通信員）との対談形式とした。女性の権利侵害、少数民族への迫害、メディアの活動制限という機微な問題について、浅学《せんがく》非才《ひさい》の私などが一人で書くよりも、長年現地で暮らして数多くのアフガニスタン人女性との時間を過ごしてきた安井さんからお話を伺う方が、読み手には有益だろうと判断したためである。この試みがうまくいったかどうかについては、読者諸賢のご評価に委ねたい。

ターリバーンのアフガニスタン社会における位置づけやその政治理念などについては、拙著『タリバン台頭――混迷のアフガニスタン現代史』（岩波書店、二〇二二年）で深掘りした。しかし、ターリバーンの内在的論理についてある程度描けたものの、アフガニスタンの多様性について充分に言及できず、希望の書とはならなかったことへの少なからぬ心残りがあった。本書が、読者諸賢のアフガニスタンへの理解を深める一助となれば心から嬉しく思う。

なお、多様性溢れるアフガニスタンについて、一冊の書籍ですべてを理解することは至難の業である。さらに理解を深めたい方におかれては、「参考文献」に掲げた先人の業績群をぜひ参照されたい。

本書の執筆に当たっての調査研究の一部はＪＳＰＳ（日本学術振興会）科学研究費補助金・基盤研究（Ｃ）（ＪＰ２１Ｋ０１３４５、「紛争後のハイブリッドな国家建設の妥当性に関する実証研究：アフガニスタンを事例に」）の助成を受けたものであることをここに記したい。

＊＊＊

まずもって、ひとりひとりの名前を挙げることは叶わないが、すべてのアフガニスタン人の友人に深く感謝の念を捧げる。

本書の出版に当たっては、光文社新書編集部の三宅貴久氏と永林あや子氏に大変お世話になった。私の筆が進まない時も、忍耐強くゴールまで並走してくださった。両氏の編集者としての巧みな能力がなければ、本書は世に出なかったと思う。記して感謝申し上げる。

私が所属する公益財団法人中東調査会の上司と同僚に御礼を伝えたい。上司からの的確な指導と、同僚からの温かいサポートがなければ業務を遂行することは難しかった。また、私が総合国際学研究院特別研究員として所属する東京外国語大学の教職員からの多大なる支援にも感謝申し上げる。

これまでの実務・研究生活において多くの方にお世話になった。カーブルに赴任していた際の、特定非営利活動法人Reach Alternatives（旧日本紛争予防センター）、特定非営利活動法人日本地雷処理を支援する会、在アフガニスタン日本国大使館の上司・同僚からの数々のご示唆に御礼申し上げる。

特に、先般崩壊したアフガニスタン・イスラーム共和国の地方復興開発省は、国連開発計画との合同プロジェクトにおいて、外国人である私をアドバイザーとして受け入れてくれた。

当時の同僚らのほとんどは、現在海外で暮らしているが、彼ら・彼女らと一緒に仕事をした日々を忘れたことは一度もない。大臣、副大臣、プログラム・マネージャー、および、すべての同僚のホスピタリティーと友情に感謝する。

また、帰国後に勤務した、外務省国際情報統括官組織第二情報官室、および、お茶の水女子大学の元上司・同僚からの指導・支援に謝意を伝えたい。

私は英国で修士課程を終えてから直ちにアフガニスタン勤務を始めたが、日本帰国後、機を見て研究会にお声がけいただき、いつも至らぬ私を導き励ましてくださった、鈴木均元上席主任調査研究員（日本貿易振興機構アジア経済研究所）への感謝と敬意を記してお伝えする。

両親と兄姉に感謝を伝える。最後に、妻・ルミ子と九歳の娘と六歳の息子に本書を贈る。いつしか、私と妻が若き情熱を燃やしたアフガニスタンに、かつての平和が戻り、ともに旅ができることを願っている。

二〇二三年四月　東京にて　アフガニスタンの平和を願って

青木　健太

商業相代行	ヌールッディーン・アズィーズィー
保健相代行	カランダル・エバード
農業・牧畜相代行	アブドゥルラフマーン・ラーシド
鉱物・石油相代行	シャハーブッディーン・デラーワル
災害対策相代行	ムハンマド・アッバース・アーホンド
殉教・障がい相代行	アブドゥルマジード・アーホンド
労働・社会福祉相代行	アブドゥルマナーン・ウマリー
情報長官代行	アブドゥルハック・ワースィク
中央銀行総裁代行	シャーキル・ジャラーリー
報道官（兼情報文化副大臣代行）	ザビーフッラー・ムジャーヒド

（出所）筆者作成。なお、ターリバーンは、自政権をアフガニスタン・イスラーム首長国と呼称する。

付録1　ターリバーン暫定政権の閣僚リスト（2023年3月20日時点）

最高指導者	ハイバトゥッラー・アーホンドザーダ

＊ターリバーンは、ハイバトゥッラー・アーホンドザーダをアミール・アル＝ムウミニーン（信徒たちの長）と呼称する。

首相代行	ムハンマド・ハサン・アーホンド
副首相代行	アブドゥルガニー・バラーダル
副首相代行	アブドゥルサラーム・ハナフィー
副首相代行	ムハンマド・アブドゥルカビール
国防相代行	ムハンマド・ヤクーブ
内相代行	スィラージュッディーン・ハッカーニー
外相代行	アミール・ハーン・モッタキー
財相代行	ヘダーヤトゥッラー・バドリー
教育相代行	ハビーブッラー・アーガー
情報文化相代行	ハイルッラー・ハイルフワー
経済相代行	カーリー・ディン・ムハンマド・ハニーフ
巡礼・寄進相代行	ヌール・ムハンマド・サーケブ
司法相代行	アブドゥルハキーム・シャライー
国境・部族相代行	ヌールッラー・ヌーリー
地方復興開発相代行	ムハンマド・ユーノス・アーホンドザーダ
宣教・教導・勧善懲悪相代行	ムハンマド・ハーレド
公共事業相代行	ムハンマド・イーサー・サーニー
水・電気相代行	アブドルラティーフ・マンスール
航空・運輸相代行	ハミードゥッラー・アーホンドザーダ
高等教育相代行	ネダー・ムハンマド・ナディーム
通信相代行	ナジーブッラー・ハッカーニー
難民相代行	ハリールルラフマーン・ハッカーニー

アフガニスタン公正・自由党

元第二副大統領　サルワル・ダーネシュ

＊国外に退避。

元スンナ派ムジャーヒディーン主要7派閥（＊イスラーム協会のみ2名記載）

イスラーム党ヘクマティヤール派指導者

グルブッディーン・ヘクマティヤール

＊アフガニスタン国内に留まる。

イスラーム党ユーノス・ハーリス派指導者

ムハンマド・ユーノス・ハーリス

＊2006年7月に死亡。

イスラーム協会指導者

ブルハーヌッディーン・ラッバーニー

＊2011年9月に死亡。

イスラーム協会野戦指揮官　アフマド・シャー・マスード

＊2001年9月に死亡。

アフガニスタン解放イスラーム連合指導者

アブドゥラブ・ラスール・サヤーフ

＊国外に退避。

イスラーム革命運動　ムハンマド・ナビー・ムハンマディー

＊2002年4月に死亡。

イスラーム民族戦線　セイエド・アフマド・ギーラーニー

＊2017年1月に死亡。

民族解放戦線　セブガトゥッラー・ムジャッディディー

＊2019年2月に死亡。

（出所）筆者作成

付録2　ターリバーン暫定政権以外の主要な人物（2023年3月20日時点）

指導的地位にあった人物

元国王　ムハンマド・ザーヒル・シャー

＊2007年7月に死亡。

元大統領　ハーミド・カルザイ

＊アフガニスタン国内に留まる。

元大統領　ムハンマド・アシュラフ・ガニー

＊アラブ首長国連邦に亡命。

元行政長官（首相職に相当）　アブドゥッラー・アブドゥッラー

＊アフガニスタン国内に留まる。

国民抵抗戦線

創始者兼指導者　アフマド・マスード

元第一副大統領　アムルッラー・サーレフ

＊国外に退避。

アフガニスタン救国のための抵抗高等評議会

元第一副大統領（国民運動党指導者）

アブドゥルラシード・ドゥーストム

元第二行政副長官（イスラーム統一党指導者）

ムハンマド・モハッケク

元バルフ州知事（イスラーム協会野戦指揮官）

アター・ムハンマド・ヌール

＊国外に退避。

和平と公正のための国民運動

元外相　ムハンマド・ハニーフ・アトマル

＊国外に退避。

新聞出版、2017 年。

関根正男編（前田耕作監修）『日本・アフガニスタン関係全史』明石書店、2006 年。

中村哲『天、共に在り——アフガニスタン三十年の闘い』NHK 出版、2013 年。

野林健・納家政嗣編『聞き書　緒方貞子回顧録』岩波書店、2020 年。

東野真『緒方貞子——難民支援の現場から』集英社、2003 年。

Newell, Richard 1974. “Foreign Relations,” Louis Dupree and Linette Albert eds., *Afghanistan in the 1970s*, Praeger Publishers, pp. 76-90.

終章

川端清隆『アフガニスタン——国連和平活動と地域紛争』みすず書房、2002 年。

篠田英朗「国家建設の戦略的指針としてのオーナーシップ原則」藤重博美・上杉勇司・古澤嘉朗編『ハイブリッドな国家建設：自由主義と現地重視の狭間で』ナカニシヤ出版、2019 年、67 ～ 80 頁。

中根千枝『タテ社会の人間関係』講談社、1999 年（1967 年）。

あとがき

東野真『緒方貞子——難民支援の現場から』集英社、2003 年。

Jobhe-e Moqāvemat-e Mellī-e Afghānistān, *Khotūt-e Asāsī-e Jobhe-e Moqāvemat-e Mellī-e Afghānistān,* August 2022, https://twitter.com/NRFafg/status/1558372611297607681, accessed on December 8, 2022.

第五章

UNAMA, *Human Rights in Afghanistan: 15 August 2021 – 15 June 2022,* July 2022, https://unama.unmissions.org/sites/default/files/unama_human_rights_in_afghanistan_report_-_june_2022_english.pdf, accessed on April 7, 2023.

UNDP, *One Year in Review Afghanistan Since August 2021: A Socio-Economic Snapshot,* October 2022, https://www.undp.org/afghanistan/publications/one-year-review-afghanistan-august-2021, accessed on April 7, 2023.

United Nations High Commissioner of Refugees (UNHCR), *Afghanistan Situation,* https://data.unhcr.org/en/situations/afghanistan, accessed on April 5, 2023.

コラム⑤

スペイン、J.（勝藤猛・中川弘共訳）『シルクロードの謎の民：パターン民族誌』刀水書房、1980年。

髙橋博史「男女7才にして席を同じゅうせず～アフガン社会における女子教育の現状と提言～」お茶の水女子大学『アフガニスタン女子教育：支援の歩みと現状』2018年、45～63頁。

第六章

青木健太「アフガニスタン・中国関係の変遷と展望――ターリバーン台頭後の地域情勢への影響」『中東研究』第544号、2022年5月、11～23頁。

――――「アフガニスタン・ロシア関係の展開――2021年ターリバーン実権掌握を経た地域情勢への含意」『ロシア・ユーラシアの社会』2022年5-6月号、No.1062、50～64頁。

緒方貞子『私の仕事――国連難民高等弁務官の10年と平和の構築』朝日

Afghanistan Since August 2021; A Socio-Economic Snapshot, October 2022, https://www.undp.org/sites/g/files/zskgke326/files/2022-11/One%20Year%20in%20Review%20Afghanistan.pdf, accessed on December 13, 2022.

"Payām 'ālīqadar amīr-ol-mo'menīn sheikh al hadīs moulavī Hibatullah Ākhundzādah be monāsebat farā rasīdan 'eid sa'īd adhā," *Voice of Jihad,* July 6, 2022.

コラム②

吉枝聡子「資料　アフガニスタンの言語状況」鈴木均編『アフガニスタンと周辺国——6年間の経験と復興への展望』アジア経済研究所、2008年、201～210頁。

第三章

青木健太「アフガニスタンにおけるターリバーン統治の現状——独自の政治体制と顕在化する諸課題」『中東研究』第546号、2023年1月、102～123頁。

窪田朋子「アフガニスタンにおける周縁民族の統合過程——ハザーラ人を事例に」鈴木均編『アフガニスタン国家再建への展望—国家統合をめぐる諸問題』明石書店、2007年、256～291頁。

ムーサヴィー、サイエド・アスカル（前田耕作・山内和也訳）『アフガニスタンのハザーラ人——迫害を超え歴史の未来をひらく民』明石書店、2011年。

Brookings Institution, *Afghanistan Index,* August 2020, https://www.brookings.edu/wp-content/uploads/2020/08/FP_20200825_afganistan_index.pdf, accessed on November 29, 2022.

United Nations Assistance Mission in Afghanistan (UNAMA), *Human Rights in Afghanistan: 15 August 2021 - 15 June 2022,* July 2022, https://unama.unmissions.org/sites/default/files/unama_human_rights_in_afghanistan_report_-_june_2022_english.pdf, accessed on December 8, 2022.

by the United States as a state and is known as the Taliban and the United States of America, February 29, 2020, https://www.state.gov/wp-content/uploads/2020/02/Agreement-For-Bringing-Peace-to-Afghanistan-02.29.20.pdf, accessed on July 26, 2022.

第二章

青木健太「ターリバーンとアフガニスタン政府の和平協議――ムッラー・ウマルの死とその波紋」『中東研究』第524号、2015年9月、95～106頁。

――― 「ターリバーンの政治・軍事認識と実像――イスラーム統治の実現に向けた諸課題」『中東研究』第538号、2020年5月、64～77頁。

――― 「アフガン『タリバン政権』が内部に抱える『路線対立』『部族間対立』」『フォーサイト』2021年9月18日。

――― 「アフガニスタンにおけるターリバーン統治の現状――独自の政治体制と顕在化する諸課題」『中東研究』第546号、2023年1月、102～123頁。

勝藤猛「パシュトウン族の道徳と慣習」アジア・アフリカ文献調査委員会『アジア・アフリカ文献調査報告第3冊（西アジア1）』1964年、1～19頁。

小杉泰「シャリーア」『岩波　イスラーム辞典』岩波書店、2002年、182頁。

髙橋博史『破綻の戦略：私のアフガニスタン現代史』白水社、2021年。

中田考『ターリバーンの政治思想と組織』現代政治経済研究社、2018年。

――― 『イスラーム法とは何か（増補新版）』作品社、2021年。

――― 『タリバン復権の真実』ベストセラーズ、2021年。

松山洋平『イスラーム思想を読みとく』筑摩書房、2017年。

宮原辰夫「デーオバンド派とターリバーン―南アジアにおけるデーオバンド派の流れ」『北陸法学』第10巻第3・4号、2003年、85～109頁。

Islamic Emirate of Afghanistan, "Message of Amir-ul-Mumineen Sheikh-ul-Hadith Hibatullah Akhundzadah, the Supreme Leader of IEA on the Arrival of Eid-ul-Fitr," *Voice of Jihad*, April 29, 2022.

United Nations Development Program (UNDP), *One Year in Review:*

コール、スティーブ（笠井亮平訳）『シークレット・ウォーズ：アメリカ、アフガニスタン、パキスタン三つ巴の諜報戦争（上、下）』白水社、2019年。

進藤雄介『アフガニスタン　祖国平和の夢――外交官の見た和平の真実』朱鳥社、2004年。

髙橋博史「ターリバーン出現の背景と最高指導者ムッラー・ウマル」保坂修司編『アフガニスタンは今どうなっているのか』京都大学大学院アジア・アフリカ地域研究研究科附属イスラーム地域研究センター（KIAS）、2010年、2～26頁。

東大作「アメリカはなぜ失敗したのか――アフガニスタンのケースから」『国際問題』No.706、2022年4月、33～41頁。

Brahimi, Lakhdar, Sack, Mary, Samii, Cyrus and Haver, Katherine, "An Interview with Lakhdar Brahimi: Interviewed by Mary Sack and Cyrus Samii," *Journal of International Affairs,* Fall 2004, Vol. 58, No.1, pp. 239-247.

Coll, Steve, *Directorate S: The C.I.A. and America's Secret Wars in Afghanistan and Pakistan,* Penguin Books, 2018.

――― , "The Secret History of the U.S. Diplomatic Failure in Afghanistan," *The New Yorker,* December 10, 2021, https://www.newyorker.com/magazine/2021/12/20/the-secret-history-of-the-us-diplomatic-failure-in-afghanistan, accessed on June 16, 2022.

Crawford, Neta C. and Lutz, Catherine, *Human and Budgetary Costs to Date of the U.S. War in Afghanistan,* Watson Institute for International and Public Affairs, Brown University, August 2021, https://watson.brown.edu/costsofwar/files/cow/imce/papers/2021/Human%20and%20Budgetary%20Costs%20of%20Afghan%20War%2C%202001-2022.pdf, accessed on July 7, 2022.

Kuehn, Felix and Linschoten, Alex Strick van, *Separating the Taliban from al-Qaeda: The Core of Success in Afghanistan,* Center on International Cooperation, New York University, 2011.

U.S. Department of State, *Agreement for Bringing Peace to Afghanistan between the Islamic Emirate of Afghanistan which is not recognized*

参考文献

全体に関わるもの

青木健太『タリバン台頭——混迷のアフガニスタン現代史』岩波書店、2022 年。

鈴木均編『ハンドブック現代アフガニスタン』明石書店、2005 年。

———『アフガニスタン国家再建への展望——国家統合をめぐる諸問題』明石書店、2007 年。

———『アフガニスタンと周辺国—— 6 年間の経験と復興への展望』アジア経済研究所、2008 年。

フォーヘルサング、ヴィレム（前田耕作・山内和也監訳）『アフガニスタンの歴史と文化』明石書店、2005 年。

前田耕作・山根聡『アフガニスタン史』河出書房新社、2002 年。

ユアンズ、マーティン（金子民雄監修）『アフガニスタンの歴史』明石書店、2002 年。

Dupree, Louis, *Afghanistan*, Princeton University Press, 1973.

Rashid, Ahmed, *Taliban: Militant Islam, Oil and Fundamentalism in Central Asia*, Yale University Press, 2000.

Johnson, Thomas H. and Adamec, Ludwig W., *Historical Dictionary of Afghanistan*, Rowman & Littlefield, 2021.

第一章

青木健太「ターリバーンとアフガニスタン政府の和平協議——ムッラー・ウマルの死とその波紋」『中東研究』第 524 号、2015 年 9 月、95 ～ 106 頁。

———「ターリバーンの政治・軍事認識と実像——イスラーム統治の実現に向けた諸課題」『中東研究』第 538 号、2020 年 5 月、64 ～ 77 頁。

———「米軍撤退とターリバーン復権—— 2021 年アフガニスタン政権崩壊の背景」『中東研究』第 543 号、2022 年 1 月、144 ～ 159 頁。

———「2021 年のアフガニスタン　アメリカ軍撤退を受けて政権崩壊、ターリバーンが実権掌握」『アジア動向年報 2022』アジア経済研究所、2022 年、571 ～ 592 頁。

青木健太（あおきけんた）

1979年東京生まれ。公益財団法人中東調査会研究主幹。上智大学卒業。英ブラッドフォード大学大学院平和学修士課程修了（平和学修士）。専門は現代アフガニスタン・イラン政治。2005年から国連開発計画・アフガニスタン政府省庁合同事業アドバイザー、在アフガニスタン日本国大使館書記官などとして同国で約7年間勤務。帰国後、外務省国際情報統括官組織専門分析員、お茶の水女子大学講師を経て現職。著書に、『タリバン台頭』（岩波新書）、『アフガニスタンを知るための70章』（分担執筆、明石書店）、『ハイブリッドな国家建設』（分担執筆、ナカニシヤ出版）、*Quad Plus and Indo-Pacific*（Co-author, Routledge）、他。

アフガニスタンの素顔《すがお》 「文明《ぶんめい》の十字路《じゅうじろ》」の肖像《しょうぞう》

2023年7月30日初版1刷発行

著　者 ── 青木健太
発行者 ── 三宅貴久
装　幀 ── アラン・チャン
印刷所 ── 堀内印刷
製本所 ── 国宝社
発行所 ── 株式会社光文社
東京都文京区音羽1-16-6（〒112-8011）
https://www.kobunsha.com/
電　話 ── 編集部03(5395)8289　書籍販売部03(5395)8116
業務部03(5395)8125
メール ── sinsyo@kobunsha.com

ISBN 978-4-334-04672-9

1242
追跡 税金のゆくえ
ブラックボックスを暴く

高橋祐貴

一般社団法人による〝中抜き〟、見えない五輪予算、孫の小遣いとなる中山間地域の助成金――。私たちの税金は何に使われているのか。気鋭の新聞記者がその杜撰な実態に粘り強く迫る！

978-4-334-04649-1

1243
友情を哲学する
七人の哲学者たちの友情観

戸谷洋志

友情とは何なのか。いま、その多様性を知ることが、人生をいくらか豊かなものにしてくれるのではないか。漫画が描く「友情」のあり方を参照しながら、哲学者七人の友情観を探る。

978-4-334-04650-7

1244
改訂版 東大合格高校盛衰史
１９４９年～最新ランキング徹底解剖

小林哲夫

日本一の頭脳たちはどこから集うのか？　名門進学校の凋落と躍進を辿ることで、日本社会の構造が浮き彫りになる。戦後から今に至るまでの合格者数ランキングで、東大受験の実情を一挙総覧！

978-4-334-04651-4

1245
リスキリングは経営課題
日本企業の「学びとキャリア」考

小林祐児

急速に取り組みが進む、知識やスキルの学び直し「リスキリング」を阻む、日本企業特有の構造とは何か。大人が世界一学ばない国・日本における学び方、働き方の新たな仕組みを考える。

978-4-334-04652-1

1246
宇宙ベンチャーの時代
経営の視点で読む宇宙開発

小松伸多佳　後藤大亮

宇宙開発は民間企業がイニシアティブをとる「ビジネス」として生まれ変わりつつある。ベンチャー・キャピタリストとＪＡＸＡのエンジニアが企業経営とサイエンスの観点から展望する。

978-4-334-04653-8

1247

東大生、教育格差を学ぶ

松岡亮二　髙橋史子
中村高康　編著

地域・性別・社会階層など本人が変えることのできない「生まれ」によって学力や学歴などに差がうまれる「教育格差」を、東大生38人はどう捉えるか。白熱ゼミの模様を新書化。

978-4-334-04654-5

1248

90歳までに使い切る お金の賢い減らし方

大江英樹

「貯める・増やす」の呪縛、「老後不安」という物語に振り回されず、価値ある使い方をすることで人生を豊かに生きる方法とは。お金の本質を掘り下げ、日本人のお金観に一石を投じる。

978-4-334-04655-2

1249

大人のマナー術

辛酸なめ子

コロナ禍の限られた人付き合いで、辛酸さんのマナー感覚は危機的状況に。一念発起、よりよい人間関係のヒントを学びます。今こそ読みたい、避けられないコミュニケーションへの処方箋！

978-4-334-04656-9

1250

会社のなかの「仕事」社会のなかの「仕事」
資本主義経済下の職業の考え方

阿部真大

際限のない「超」長時間労働、蔓延するやりがい搾取、働き手を蝕む過剰サービス。日本人の働き方は、どうすれば変えられるのか？　疲弊した日本経済に「職業の社会学」が新たな地平を拓く。

978-4-334-04657-6

1251

山本五十六、最期の15日間
歴史に埋もれた「幻の3番機」

池田遼太
〈語り〉青木藏男

「私は1943年4月18日、米軍に撃墜された長官機の後ろを飛んでいました」。99歳の元搭乗員が明かす、山本五十六の戦死の真相。日本海軍の頂点と地べたが交わる戦場ノンフィクション。

978-4-334-04658-3

1252
再考 ファスト風土化する日本
変貌する地方と郊外の未来
三浦展

全国各地のロードサイドに同じような商業施設が建ち並ぶ「ファスト風土化」によって、郊外とそこに暮らす人々の意識はどう変わったか。小説家、建築家、研究者ら13名の論考を収録。

978-4-334-04659-0

1253
コミュ力は「副詞」で決まる
石黒圭

「めっちゃ」「やっぱり」「じつは」「なるほど」「せっかく」「あいにく」「おかげさまで」…etc. 気持ちを効果的に伝える最強の助っ人「副詞」、その分類と機能を知り、使い方の勘所を学ぶ。

978-4-334-04660-6

1254
阪神タイガースはなんで優勝でけへんのや？
喜瀬雅則

歴史 看板 風土 戦略 育成 苦悩 誤解 派閥 そして「アレ」――9つの枠組で分析する優勝が遠のく理由。阪神ファンの元番記者だから書けた「新・阪神タイガース論」。

978-4-334-04661-3

1255
定年前と定年後の働き方
サードエイジを生きる思考
石山恒貴

定年前と定年後の働き方は、個人の思考ひとつで大きく変わる――。この時期を、どう働き、どう過ごし、どう生きるのか。幸福な働き方を実現する思考法を、研究理論と実例から探る。

978-4-334-04662-0

1256
編集者の読書論
面白い本の見つけ方、教えます
駒井稔

古典新訳文庫創刊編集長が綴《つづ》る気取らぬ読書論。話題は海外の書店や出版社、作家、歴史的人物、古典、短編、児童書へと縦横無尽に広がり、未読の本の存在にわくわくすること間違いなし！

978-4-334-04663-7

光文社新書

1257 超遺伝子《スーパージーン》

藤原晴彦

生き物の不思議を司る超遺伝子。メスの一部だけが擬態するナガサキアゲハなど、ダーウィンとウォレスが残した謎を解き明かして見えてきた、遺伝学の新たなフロンティアに迫る。

978-4-334-04664-4

1258 理想の職場マネージメント

一軍監督の仕事

高津臣吾

個性豊かな選手がひとつの方向を向くチームをつくるには？セ・リーグ連覇、交流戦優勝、ゆとりローテーション、言葉の力——球界に革新を起こす名将が自らのマネージメント手法を語る。

978-4-334-04665-1

1259 参議院

倉山満

参議院を制する者が日本の政治を制する——。参議院とはいかなる存在なのか。誕生の背景から歴代政権のスタンス、そして現代日本政治まで、憲法学、政治学、歴史学の視点で検証。

978-4-334-04666-8

1260 東大生のジレンマ

エリートと最高学府の変容

中村正史

急増する休学者に、急進的な起業志向——保守的なはずの東大で、あえて「レール」を踏み外す学生が増えている理由とは？　激変する東大と東大生の「今」を、当事者たちの声が浮き彫りにする。

978-4-334-04667-5

1261 宇宙・0・無限大

谷口義明

私たちの想像が及ばないほど広大な宇宙は無限の大きさを持つのか。また、この宇宙に0となる物理量は存在するのか。シンプルながらも深遠な問いに天文学者が果敢に挑む一冊。

978-4-334-04668-2

1262
世界視点で読む 企業戦略とアート
上坂真人

なぜ世界のトップ企業は事業としてアートに投資するのか。日本には何が欠けているのか。ビジネスとしてのアートの役割と活用法を、豊富な事例とデータから分析・提言する。

978-4-334-04669-9

1263
教養を磨く
宇宙論、歴史観から、話術、人間力まで
田坂広志

哲学の究極の問い／「運命」とは何か／「人生百年時代」の陥穽／「死」とは何か／二一世紀の「利他主義」――教養とは答えの無い問いを問い続ける力。21世紀の「新たな教養」論。

978-4-334-04670-5

1264
戦時下のウクライナを歩く
岡野直

突如始まったロシアによるウクライナ侵攻。破壊された街で、失われた日常に、そこに生きる人たちは何を思うのか。ジャーナリストが歩いて、見て、聞いた、市民による〝戦い〟の記録。

978-4-334-04671-2

1265
アフガニスタンの素顔
「文明の十字路」の肖像
青木健太

カブール陥落から2年――タリバン統治の実態は？　女性の権利は？　和平実現への道筋は？　そして日本が果たすべき役割は？　激変するアフガニスタン社会を広く深くリポート。

978-4-334-04672-9

1266
生理痛は病気です
邱紅梅

「我慢してやり過ごす」はNG！　日本女性の生理が社会の犠牲になっていること、その先に待ち受けるリスクを解説。原因を根本から解決する「養生」の方法を中医学をベースに伝える。

978-4-334-04673-6